中国科技之魂

中宣部主题出版重点出版物

肝胆春秋 吴孟超

中国编辑学会◎组编

李冬梅◎著

人民卫生出版社

北京

图书在版编目（CIP）数据

肝胆春秋 ： 吴孟超 / 中国编辑学会组编 ； 李冬梅著. -- 北京 ： 人民卫生出版社, 2024. 12. --（中国科技之魂）. -- ISBN 978-7-117-37422-4

Ⅰ. K826.2

中国国家版本馆 CIP 数据核字第 2024K1Q518 号

内 容 提 要

吴孟超是国际著名肝胆外科专家，我国肝脏外科的开拓者和主要创始人，被誉为“中国肝胆外科之父”。本书以时间为脉络，全景式展现了吴孟超院士从马来西亚割胶少年到医学泰斗的传奇一生，全书既记录了吴老在肝脏外科领域的开创性贡献——如创造性地提出了“五叶四段”的解剖学理论、切除世界上最大的肝海绵状血管瘤，也刻画了他带领团队从零起步建立中国肝脏外科学科体系的艰辛历程。本书通过珍贵史料，还原了一位将生命融入医学的国士形象，通过其奋斗历程与医学成就，弘扬医者仁心与家国情怀，旨在激励读者在科学与人文交织的叙事中，感悟“大医精诚”的真谛，传承开拓创新、无私无畏的时代精神。

“中国科技之魂”丛书 ZHONGGUO KEJI ZHI HUN CONGSHU

肝胆春秋：吴孟超 GANDAN CHUNQIU WU MENGCHAO

◆ 组　编　中国编辑学会

著　李冬梅

责任编辑　刘岩岩　张浩然　王　琳

◆ 人民卫生出版社出版发行　北京市朝阳区潘家园南里 19 号

邮编　100021　电子邮件　pmph@pmph.com

网址　https://www.pmph.com

北京盛通印刷股份有限公司

◆ 开本：720×960　1/16

印张：13　2024 年 12 月第 1 版

字数：185 千字　2024 年 12 月第 1 次印刷

定价：98.00 元

“中国科技之魂”丛书编委会

“中国科技之魂”丛书出版工作委员会

主　　任：

杜　贤　张立科

副 主 任：

王　威　李　际　成丽丽　刘俊来

成　　员：

赵　一　张浩然　林舒媛　郭　家　王丽丽　顾慧毅

丛书序言一

弘扬科技之魂　共筑强国之梦

站在新的历史起点，回望过去，在中国共产党的坚强领导下，一代代科技工作者以国家民族的前途命运为己任，投身科学救国、科研报国、科教兴国、科技强国的伟大事业。他们为国家富强前赴后继、接续奋斗，取得了无数举世瞩目的成就，实现了中国科技实力一次次的历史性跨越。这一过程中，孕育形成了内涵丰富、历久弥新的科学家精神，成为中国共产党人精神谱系的重要组成部分，长久涵养后人。

习近平总书记指出："科学成就离不开精神支撑。科学家精神是科技工作者在长期科学实践中积累的宝贵精神财富。"科学家的观点和思考可能只适用于某个特定的时期，但他们所代表的科学家精神却能超越个体的差异、超越时间的限制，成为一种普遍的文化遗产和精神财富，不断被传承和发扬。近代以来，那些我们所怀念的来自不同领域的伟大的中国科学家，都在自己所处的那个年代提出和倡导过某个促进科技进步、社会发展的思想、理念、观点，虽内容各异，但核心理念一脉相承——实现民族复兴的坚定信念，正如历史的洪流，滚滚向前。

当前，世界之变、时代之变、历史之变正加速演进，全球科技创新进入前所未有的活跃期。面对新一轮科技革命和产业变革，我们比以往任何时刻都更深切地感受到"科技兴则民族兴，科技强则国家强"的要义，实现中华民族伟大复兴之大局呼唤科学家精神，应对世界百年未有之大变局需要科学家精神。

在深入学习党的二十大报告提出的“培育创新文化，弘扬科学家精神，涵养优良学风，营造创新氛围”的号召后，中国编辑学会深感弘扬新时代科学家精神的责任重大、使命光荣。2023 年 1 月，中国编辑学会组织人民邮电出版社、人民卫生出版社、科学出版社等多家科技出版强社，共同策划了一套以中国科学家精神为主题的理想信念科普读物及精品传记力作——“中国科技之魂”丛书，旨在与当前中国科技发展的现状和挑战相结合，更好地反映科学家的精神信仰和社会价值，尤其突出科学家在时代洪流中的具体实践，形成当前新时代背景下可传承、发扬、鼓舞人心的精神力量。

“中国科技之魂”丛书共 19 分册，以习近平新时代中国特色社会主义思想和党的二十大精神为指导，以对“中国科学家精神”“中国共产党人精神谱系”等“新时代、新精神、新思想”的“新解读”为定位，选取 19 位政治立场正确、党和人民高度认可、在各自领域做出杰出贡献的泰斗级中国科学家，描绘他们热爱党和人民、热爱科技事业、热爱生活的鲜活形象，详述他们可贵的精神品质、突出的科技贡献、创新的思维方式、丰富的生平故事、独特的人格魅力，大力弘扬以“爱国、创新、求实、奉献、协同、育人”为内涵的中国科学家精神，展现以伟大建党精神为源头的中国共产党人精神谱系，尤其突出新时代新思想背景下，传承中国科技之魂对赓续创新奋斗的精神血脉、凝聚民族复兴的磅礴力量的战略意义，启迪中国科技工作者自觉践行、大力弘扬精神之魂，投身科技创新，建设科技强国，让大众深刻理解科学家精神的时代价值和历史意义，激发全社会的科学兴趣和创新热情。

中国编辑学会高度重视“中国科技之魂”丛书的出版工作，集多家科技出版强社的合力精心打造，成立了审读顾问委员会，对丛书架构、目录、样章等多次进行详细指导、审校；成立了编委会，统筹安排出版工作，把握整体进度；成立了出版工作委员会，开展丛书出版过程中的组织与协调工作；

充分调动了相关部委和单位的力量，组织了强大的写作团队，各分册均由科学家、科学史资深研究者、党史党建专家、宣传思想工作专家等组成写作班子；力推融合出版，融文、图、音频、视频、动画等于一体，最大限度地提升读者的阅读体验，确保“中国科技之魂”丛书在内容上权威、专业、生动，在形式上创新、多元、互动。

“中国科技之魂”丛书是对中国科学家精神的汇聚，向世界展示了中国科学家的卓越智慧与崇高追求，如繁星璀璨，照亮人类文明的灿烂星河，指引后人不断奋进。出版“中国科技之魂”丛书是对时代的献礼，对历史的致敬，更是对未来的期许，让科学家精神在新时代绽放出新的光芒，这是科技出版人对时代、对历史、对未来的深切责任与庄严承诺。我们坚信，“中国科技之魂”丛书将成为传承科学家精神、弘扬科学文化、激发创新活力的重要载体。让我们携手前行，为实现中华民族伟大复兴的中国梦贡献科技出版人的智慧和力量，在新时代的征程上，共同书写中国科技事业的辉煌篇章，铸就人类文明的新辉煌！

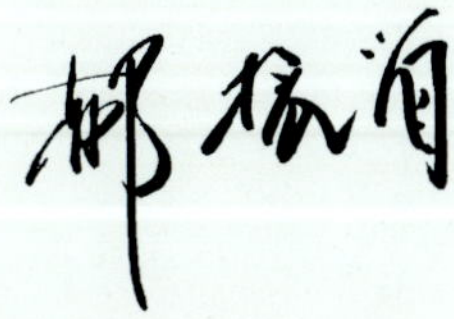

中国编辑学会会长

“中国科技之魂”丛书编委会主任

2024 年 12 月

丛书序言二

传科技之魂 燃复兴之光

科技兴则民族兴，科技强则国家强。党的十八大以来，以习近平同志为核心的党中央深入推动实施创新驱动发展战略和人才强国战略，提出加快建设创新型国家的战略任务，确立2035年建成科技强国的奋斗目标。党的二十届三中全会提出，教育、科技、人才是中国式现代化的基础性、战略性支撑。要优化重大科技创新组织机制，加强国家战略科技力量建设，统筹强化关键核心技术攻关。在中国共产党的正确领导下，一代代科技工作者以国家民族的前途命运为己任，投身科学救国、科研报国、科教兴国、科技强国的伟大事业。他们宛如璀璨星辰，照亮了强国建设和中华民族伟大复兴之路。习近平总书记号召我们要传承老一辈科学家以身许国、心系人民的光荣传统，把论文写在祖国的大地上。

正是在这种背景下，中国编辑学会组织多家出版单位编写了“中国科技之魂”丛书，精心选取19位在工业、农业、卫生、国防、基础学科等领域做出杰出贡献的泰斗级科学家。这些科学家政治立场坚定，深受党和人民敬重，在各自领域的贡献卓著。丛书描绘了他们热爱党和人民、热爱科技事业、热爱生活的鲜活形象，详述了他们丰富的生平故事、可贵的精神品质、独特的人格魅力、创新的思维方式、突出的科技贡献。他们的一生，是对科学真理不懈追求的一生，是对国家和人民无限忠诚的一生；他们的事迹，不仅是个人的荣耀，更是时代的缩影。他们的精神启迪着广大科技工作者自觉践行和大力弘扬求疑问真、严谨求实的科学家之魂，展示了中国特色社会主义道路的科技自信和文化自信，体现了“科技为民”的初心和使命，同时也让大众深刻理解科学家精神的历史意义和时代价值。他们不仅激励着我们这一代科技工作者，更影响着未来无数的科研人员，以实现为党和国家“立心”，为科技强国“立力”，为民族复兴“立基”，为人民健康“立命”，为青少年“立志”。

科技是人类进步的阶梯，是打开未来大门的钥匙。在当前这个科技迅猛发展的时代，我们比以往任何时候都更加需要科学家精神的指引。一代人有一代人的奋斗，一个时代有一个时代的担当。“中国科技之魂”丛书的出版是对历史的致敬，对时代的献礼，更是对未来的期许，让科学家精神在新时代绽放出新的光芒。它提醒我们，无论科技如何进步，科学家的责任感和使命感永远不能减退。我们坚信，“中国科技之魂”丛书将成为传承科学家精神、弘扬科学文化、激发创新活力的重要载体，为实现中华民族伟大复兴的中国梦贡献智慧和力量。

希望广大读者能从这套丛书中感受到科学家们的伟大精神，汲取奋进力量，积极投身科技创新与民族复兴的伟大事业。今有感书将付梓，谨呈敬意，是为序。

張伯礼

中国工程院院士、国医大师

中国中医科学院名誉院长

天津中医药大学名誉校长

“中国科技之魂”丛书编委会主任

2024 年冬于天津静海团泊湖畔

前 言

2023年6月，正是初夏时分，我有幸受人民卫生出版社委托，写作“肝胆外科之父”——大医吴孟超的传记。我一直相信，这世间所有相遇，都有冥冥中的机缘，就像我这样一个写字的人，何其幸运，能够有机会接触到吴孟超老先生波澜壮阔的一生，并且能够以虔诚的心，书写老先生的光辉历程！

也许白天，也许夜晚，坐在电脑前的我，心思清朗。看着屏幕上的字迹渐渐变多，就像看到老先生正微笑着迎面走来，娓娓讲述自己从少年求学到青年时踏上医途，直至结缘肝胆的故事。

本来，书写这样一部医学大家的生平，我难免觉得力有不逮，但老先生跌宕起伏的经历，对祖国肝胆外科事业作出的巨大贡献，成功掩盖了我笔力的不足。那一台台技术高超的手术，一个个层出不穷的创意，以及对肝胆外科事业高瞻远瞩的筹谋，无不显示出一位大医圣手的情怀与大爱。每写下一段话，我就忍不住由衷赞叹：“了不起，真了不起！”除此之外，我似乎找不到更有分量的字来表达满腔敬仰之情。跟吴孟超老先生在肝胆外科领域的贡献相比，任何一个字都显得轻飘。

在此，由衷感谢各位老师在本书的成稿过程中提供的意见和无私的帮助！

李冬梅

2024 年 5 月

吴孟超
1922—2021

生命就像一条宁静的长河，让我练就了一身功夫，要努力把患者一个个都背过河去……

目 录

序幕

秀水青山育佳木

孕育了八闽文化的母亲河闽江下游，汇入一条干流梅溪。闽江悠远浩荡，梅溪清澈幽静，共同孕育了此地几千年的文明，彰显着山清水秀、人杰地灵的自然风貌和人文风韵。江溪交会之处，有一座县城——闽清县。闽清县有一个云龙乡，云龙乡有一个后垅村。村后，大湖山层峦叠嶂，吉溪发源于此。山也巍峨，水也灵秀，鸟儿翔集，小兽奔走，正是繁花竞放，草木葳蕤之地。

钟灵毓秀，物华天宝，灵山秀水深处，吴孟超院士就出生在依山傍水的云龙乡后垅村吴家厝的一户农家。直到现在，吴氏老宅中的百年大树，仍然枝繁叶茂、郁郁葱葱。这棵大榕树华冠展开，铺天席地，像是荫庇，也如福泽。老树有山一般的雄浑，亦有水一样的从容。它不畏严寒，不惧酷暑，四季常青，傲然屹立于天地之间。

吴孟超院士恰如这棵大树，生机勃勃，不断奉献。他开创了中国医学界乃至世界医学界肝胆外科领域众多的第一，创造了间歇肝门阻断切肝法和常温下无血切肝法，完成了世界上第一例中肝叶切除手术，切除了世界上迄今为止最大的肝海绵状血管瘤，完成了世界上第一例腹腔镜下直接摘除肝脏肿瘤的手术……这众多的“第一”无不见证着中国肝胆外科从无到有、从有到精的卓绝探索。吴孟超院士为我国肝胆医学事业的发展呕心沥血、鞠躬尽瘁，被称为“中国肝胆外科之父”。他荣誉等身，厥功至伟，可他却说自己是永不退伍的老兵。

第一篇

少年成长赴医途

吴孟超以“脚踏实地，光明正大”为座右铭，面对自己的学业和事业，始终坚持“凡事不做则已，要做就要做得比谁都好”。初中毕业后，他作出了人生道路上的第一次选择，回到伟大祖国的怀抱。高中毕业后，他作出了人生道路上的第二次选择，考入同济大学医学院。抗战胜利后，他作出了人生道路上的第三次选择，坚定地留在祖国，迎接新中国的曙光。

第一章　不负韶华砥砺行

小男娃孟秋降生

1922年8月31日，一声婴儿的啼哭骤然响起，打破了小村吴家厝的宁静。初抵人世，吴家的小小男娃显得瘦弱。头胎得子，贫穷农户里，人人脸上洋溢着笑容。孩子出生于立秋之后，依着节气，家人给他取名“孟秋”。秋天，是丰硕的、充盈着喜悦的季节。在秋日踏上人生征途，似乎也预示着，他一生必将硕果累累，华彩满枝。

吴孟秋的父亲叫吴孔钦，是吴家三兄弟中的老大。按吴家族谱，父亲列“孔”字辈，吴孟秋列“孟”字辈，连起来是“孔孟”。显然，家境虽然贫苦，却丝毫没有影响吴家祖祖辈辈对古圣先贤的尊崇，这样的家风，像薪火代代相传。

吴孟秋的母亲叫徐红妹，也是善良淳朴的乡下人。按照当地习俗，有男娃的家庭，得从小收养一名童养媳。为此，徐红妹小小年纪就到了吴家。

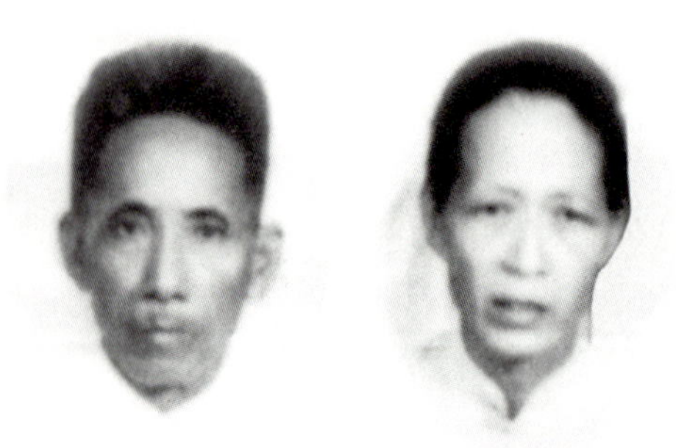

吴孟超父亲吴孔钦与母亲徐红妹的黑白老照片（东方肝胆外科医院提供）

家境贫寒，只能把自家田里出产的甘蔗榨汁给孟秋吃。营养不良，导致孟秋 2 岁时还只能趔趄着走路。大舅徐家齐看在眼里，疼在心上，常去溪水边、稻田里、水草深处，捕捉田鸡给外甥炖了吃，补充营养。3 岁时，孟秋终于可以稳稳当当地走路了。

远涉重洋赴诗巫

在家乡长到五岁，1927 年秋，母亲带着孟秋及不满周岁的三弟孟良，踏上了遥远的旅程，投奔早在一年前去南洋谋生的阿爸。大舅背着孟秋，一直送到船上，一路走一路嘱咐，要听阿爸阿妈的话，长大了要成为有出息的人。那么小的孩子，还不懂话里深意。也许是离别的场面加深了孟秋的印象，直到多年后，那句话还清晰地刻印在他的脑海中。

母子三人终于抵达了目的地——今天马来西亚东北部的沙捞越州诗巫市。初见的欢喜退去，平静的日常生活按部就班日夜轮转起来。平日里父亲和母亲做米粉生意，孟秋帮忙带弟弟妹妹，也会做些力所能及的家务。1928 年，父亲把祖母和之前留在家里的二弟接到了诗巫。一家人得以团聚，仍然是不断劳作，辛苦却也其乐融融。

那段时间，小孟秋不但分担着做了许多事，还跟着阿爸学会了吴氏祖训。年幼的孩童尚不能完全领悟祖训中的深刻内涵，却能一遍一遍用心记忆。熟能生巧，过了一段时间，小孟秋可以背诵得抑扬顿挫，有模有样了。

忠君亲上以报国恩，尊老慈幼以睦宗族，
孝亲敬长以笃人伦；尊师重道以培书香；
尊祖敬宗以溯源本，德才处事苦读勤耕，
教子调弟以守典型；凡我子孙不愆不忘。

这是对小孟秋做人做事做学问的启蒙，在他幼小的心里烙印下了眷恋故土的深深印记。

这座高脚屋曾是小孟超（秋）一家居住的地方（东方肝胆外科医院提供）

8 岁少年会割胶

8 岁的孟秋，能够和父亲去橡胶园割胶卖钱了，这项劳动，一做就是 9 年。

每天凌晨三点，小孟秋被阿爸喊醒。他揉揉惺忪睡眼，迷迷糊糊地提着自制马灯，拿着割胶刀，赤着膊光着脚，向漆黑的橡胶种植园走去。

诗巫属于热带气候，半夜至凌晨的湿热，让人身上潮乎乎。这也正是蚊虫横行的时间，割胶的孟秋无暇顾及蚊虫叮咬，常常带着一身红色的肿块回家。

从刚刚懂事时起，小孟秋就被生活的艰难捶打，也体会着劳动后收获的喜悦。他从小就懂得分担父母的忧愁以及分享团队合作的快乐。劳动的辛苦，虽苦不堪言，却也潜移默化地锻炼了吴孟超吃苦耐劳的韧性与毅力。正是这种坚韧的品格和顽强的意志力，使他平和自信，宠辱不惊。无论顺境逆境，无论遇到多大的困难，都泰然处之，淡定从容，从不惧怕。某种意义上说，这段吃苦的经历，也成了他人生中一笔难得的财富。正如一句名言说，“生活总是让我们遍体鳞伤，但到后来，那些受伤的地方一定会变成我们最强壮的地方。”

入学光华改名字

1931 年，父母决定送孟秋入学读书。如此一来，小孟秋割胶回来，必须抓紧时间吃饭、洗澡，因为他读的是半日制学校，上午割胶，下午要去学校读书。半工半读的学习状态，一直从 8 岁持续到 17 岁。九年时光，他把胶刀用得得心应手，这是最早的操刀训练，只不过面对的不是病人，而是一棵棵高大的橡胶树。

吴孟超进入的是当地的光华学校，这是由福建古田人丁承恩先生于 1916 年创办的华侨学校，有幼稚园、小学部及中学部。该校取名“光华”，意指“光耀中华”。1920 年，孙中山先生去南洋时，还受邀为学校撰写了“求知求义最重实践，做人做事全凭真诚”的校训。

8 岁的孟秋入学，最先进入的是幼稚园。虽然他年岁有些大，但校方认为必须坚持传统。孟秋每天和四五岁的娃娃一起诵读《三字经》。在诵读中，他默默地体会着中华传统文化的精髓。半年后，孟秋进入小学部，正式学习中文、英文、算术、音乐、地理、历史和手工劳作。这个好学、上进的孩子，门门功课都成绩优异，手工劳作尤其出类拔萃。从小学二年级开始，他一直被推举为班长。

进入小学后，孟秋将自己的大名改成了“孟超”。这个名字，从此与他相伴，像是为了证明他一生的不断进取，不断超越，不断有所创新。这或者也是他日后提出的团队文化——“勇闯禁区、勇于创新、永不满足、永远争先”“四勇（永）精神”冥冥中的遥相呼应。

1936年，吴孟超小学毕业，进了光华中学部。当年的校长程立军先生来自厦门，是一位爱国华侨，办学有方。虽然英国殖民者禁止学校讲授中国历史，但校长还是想方设法，利用一切机会对学生进行“不要忘典”的教育，让这些华侨子弟永远记住自己的根在哪里。

少年时期（左）和初中毕业时（右）的吴孟超（东方肝胆外科医院提供）

出身贫苦家庭的吴孟超特别懂事，又天资聪颖，学习刻苦，成绩一直名列前茅。不只成绩好，他还是一个热心为同学服务、为人诚恳的孩子，深得校长和老师的器重，也被同学们喜爱，推举当了初中三年的班长。他越来越深刻地理解了舅舅要他"将来成为有出息的人"这句话的内涵。孟超立志勤勉向学，誓要出人头地：任何事若非全力以赴，则不为；一旦着手，必求卓越，超越众人。

为了自我鞭策，他特地寻到一块木板，刻了"脚踏实地，光明正大"八字箴言，以此警示自己：做人做事要脚踏实地，要光明正大。从那个时候开始，他坚持每天写日记，既记录了当时发生的事情，整理了思路，又提高了书面表达能力，还练出了一手好看的行楷。

第二章　一颗爱国忠诚心

募捐为抗日

1937 年 7 月 7 日夜，卢沟桥炮声响起，日本帝国主义全面侵华战争开始。自此，侵略者的铁蹄在神州大地上肆无忌惮地横冲直撞，硝烟四起，炮火连天。遥远的马来西亚诗巫，也听到了这个消息，被教育“国家兴亡，匹夫有责”的光华学子，群情激昂，义愤填膺。昔日只有琅琅书声的校园里，现在常举行演讲会、报告会，不时还会有抗日救亡的歌声回荡。同学们振臂高呼着“抗日”，保家卫国的热情持续高涨。在侨居地，心怀深深忧虑与强烈责任感的少年吴孟超，毅然投身于抗日救亡的洪流之中。他用心捕捉每一个有关抗日的信息，延安、八路军、新四军、毛泽东、朱德……这些原本陌生甚至从未听过的名词，渐渐熟悉。在校长满含激情的演讲中，他听到过；在抗日救亡组织的宣传材料中，他看到过。这些鲜活的关于祖国抗日的信息，被少年吴孟超铭记于心。

吴孟超踊跃参与各种形式的抗战活动。作为班长，他和副班长林文立站出来，带领同学们组织了“抗日募捐义演队”，背着道具和干粮，深入附近的橡胶园和农舍为侨民演出、宣讲。学生的演技难免生涩，侨民却看得津津有味。吴孟超心里明白，演出的技巧并不重要，关键在于通过激情的演讲、话剧表演和募捐活动，把侨胞团结起来，共同喊口号，点燃心中的抗日热情。这些活动不仅锻炼了少年吴孟超的组织协调能力，也让他深刻地领悟到“国难当头”的沉重，“国家兴亡，匹夫有责”的担当。侨胞们的抗日情怀和爱国热忱被充分激发，纷纷慷慨捐赠。演出结束后，吴孟超和林文立会认真记录募捐款项，保证所有资金毫厘不差地送达华侨抗日组织。

赤道的烈日炎炎仿如火烤，常让他们汗流浃背；突降的暴雨如注，常让他们全身湿透；“红头阿三”（印度警察）无礼的干涉粗暴蛮横。所处环境的恶劣，并未动摇学子们抗日的信念。

在抗日烽火中成长的少年吴孟超，逐渐受到家国情怀的深刻影响，内心强烈的民族意识被悄然唤醒。

得“朱毛回电”

1939 年，吴孟超 17 岁。暑假快要到了，他和同学们马上初中毕业。光华学校没有高中部，同学们毕业后或升学或就业，不同的选择，预示着将要各奔前程。学校惯例，在毕业前组织一次聚餐活动。吴孟超听说上一届毕业生没有聚餐，而是把费用捐献给了华侨抗日救亡组织。同样的念头，在心底萌发。钱款凑齐后，他找来副班长林文立商议，是不是可以取消聚餐，捐款抗日？果然一拍即合。他们的提议得到了班里其他同学的积极响应，大家不但赞同，还把零花钱捐了出来。吴孟超和林文立汇集钱款，连同之前演出得来的募捐款，凑在一起，交到爱国人士陈嘉庚先生手中，委托他传递回国，送往延安。

之后，同学们就像什么事也没发生一样，该学习照样学习，该考试照样考试。毕竟，抗日不是一天两天的事情，他们毕业的日期已经迫在眉睫，要紧的是学习，还要组织临别前的活动。

在毕业典礼前夕，一个消息给吴孟超和他的同学们带来莫大惊喜，学校收到一份八路军总部以朱德、毛泽东名义发来的感谢电报。老校长亲自书写了一张告示贴在公告栏里，大家争相阅读，把公告栏围了个水泄不通。吴孟超个子不高，好不容易挤到最前面，大声朗读着。电文的大概意思是：捐款已经收到，同学们的爱国热情对抗日军民是鼓舞，对大家表示感谢，并对爱国行动予以表彰……这件事，让光华学子的思想受到了很大触动。电报内容尤其令吴孟超心潮起伏，祖国大地熊熊的抗日烽火，使他激情澎湃。一个想法渐渐成形：爱国即意味着要报效祖国，而报效祖国则需踏上归途。他先前已与数位志趣相投的同窗探讨了归国的话题，延安发来的电报，再次点燃了他回国投身抗战的热情。

第一次选择

初中毕业后，吴孟超每天都在思考自己未来的道路要向哪里去。这也是父母在考虑的大事。按吴孔钦的想法，孟超是长子，是家里的顶梁柱。他勤奋好学，应该继续上高中，或者去英国深造。精通英语，找个好工作不成问题。吴孟超不愿去英国人开的高中读书，也拒绝了跟着阿爸学做生意的提议。他下定了决心，回国抗日，报效祖国！吴孟超少年老成，做事从不莽撞，这是他审时度势、深思熟虑后的回答，是他人生道路上的第一次选择——与五位同学一起回国。

“回国抗日，报效祖国”，这个选择，与他接触的环境息息相关。正是缘于光华学校多年来对他“重实践，凭真诚”的教育，缘于父母诚信为人踏实做事的熏陶，缘于他对社会现实的思考。

吴孟超的父母意识到，孩子长大了，拥有了丰富的见识，对各种事情的理解常有独到之处，再加上他不屈不挠的性格，一旦做了决定，就会全力以赴。面对这样的决心，他们无法抗拒，只能默许。父母的支持，成就了吴孟超人生道路上的第一次选择。

十几岁的少年，在兵荒马乱战火纷飞的年月从马来西亚回国，谈何容易？可吴孟超还是义无反顾地为回国做着各种准备。1940 年 1 月 4 日，吴孟超与其他五位同学拿到了当地华侨组织开具的身份证明书。在侨务委员会的安排下，1 月 8 日，六位同学踏上了回国的轮船。看着在岸上相送的父母和小妹，吴孟超被离愁别绪压得喘不过气，泪水滚滚而下。就这样，他离开了生活 13 年的诗巫，离开了还在那片土地上生活的家人。在海上航行三天后，轮船在新加坡靠岸，他们需要在这里办理回国的有关手续，再转道越南（当时称安南），进入中国云南省。当时，这是唯一一条没有被日本军队染指的海上通道。

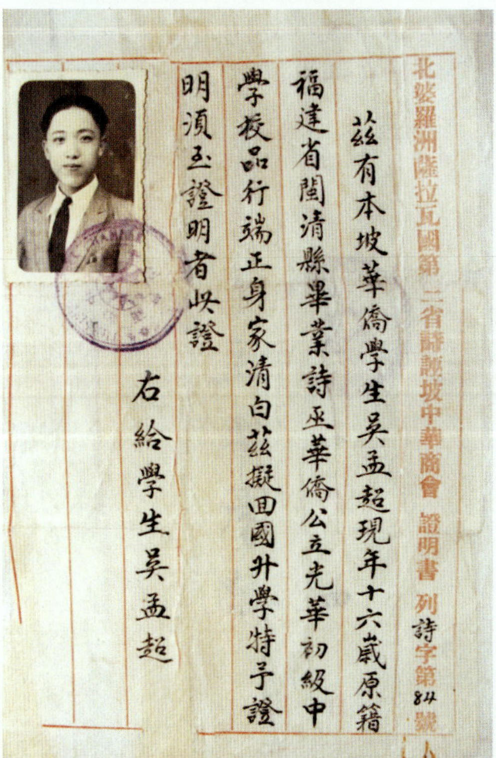
北婆羅洲薩拉瓦國第二省詩誣坡中華商會 證明書 列詩字第84號

茲有本坡華僑學生吳孟超現年十六歲原籍福建省閩清縣畢業詩巫華僑公立光華初級中學校品行端正身家清白茲擬回國升學特予證明須至證明者此證

右給學生吳孟超

北婆罗洲萨拉瓦国第二省诗巫坡中华商会主席周麟于开具的证明书（东方肝胆外科医院提供）

1940 年 1 月 12 日，吴孟超和同学们拿到了中华民国外交部颁发的护照。两天后，他们再次登船，赶往越南西贡，经过长达十几天的行程抵达。在海关办理入境手续时，他们遭遇了区别对待，白种人只需在表格上签名即可放行，黄种人必须摁手印。

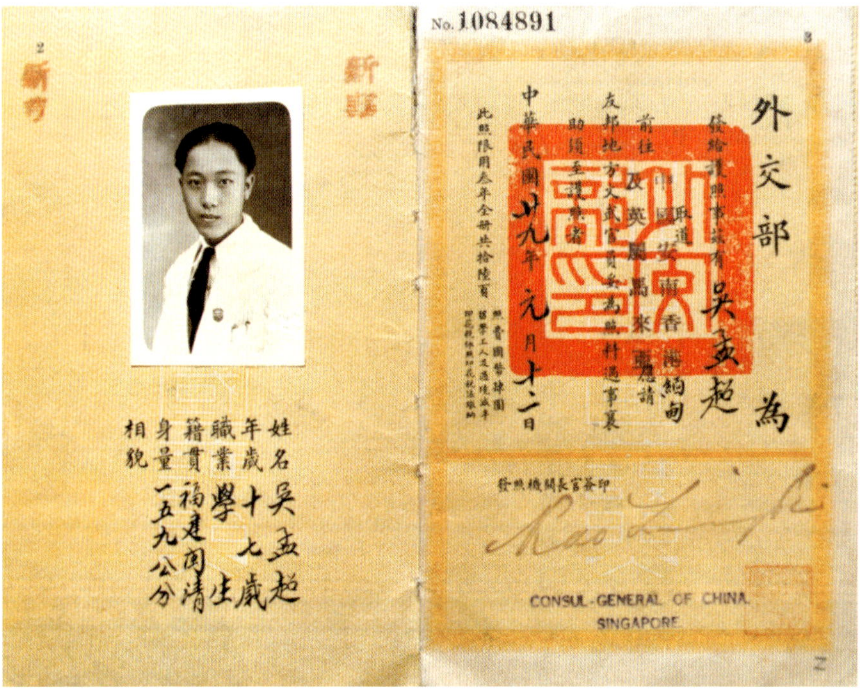

吴孟超在新加坡办理的回国护照（东方肝胆外科医院提供）

虽然满腔怒火，却也不得不按照规定摁手印过关。可这段受辱经历留下的记忆刻骨铭心。这个事件更让吴孟超知道了，国家强大，人民才能扬眉吐气。他的心里埋下了一颗要为民族争气的种子。

双脚踏上云南河口的土地，几个孩子高兴得又蹦又跳，梦想成真，让他们欣喜若狂。1940 年 1 月 31 日，六人抵达昆明，这时，距离从诗巫出发，已经过去 24 天。

吴孟超拿着光华学校老师写的纸条，找到在同济大学理学院读书的光华校友黄启仁，想请教如何北上革命圣地延安。却被告知，去延安路途遥远，还有特务设卡阻拦，危险重重。黄启仁劝说吴孟超，读书也可以救国，而且切实可行。毕竟当时的昆明云集了国内最好的大学和最有名望的教授。吴孟超下定决心，既然不能去延安，那就入学好好读书，将来报效祖国。

六位准备奔赴延安参加抗日救亡的热血青年在昆明合影（前排左一为吴孟超）
（东方肝胆外科医院提供）

第三章　从中学到大学

尽力争取，入学同济大学附属中学

既然下定决心在昆明通过“读书来救国救民”，就必须迅速付诸实践。对吴孟超而言，当务之急是考入一所心仪的高中。

20 世纪 30 年代中期，昆明吸引了不少沦陷区迁来的名校。其中最著名的是由北京大学、清华大学和南开大学三校组成的西南联合大学。但当时西南联合大学并没有设立附属中学。这样一来，从上海迁往昆明的同济大学附属高中和昆明本地的云南大学附属中学，成了吴孟超的必然选择。他同时报考了这两所中学，考试结果出来，他落榜同济大学附属中学，被云南大学附属中学录取。

吴孟超并没有马上去云南大学附属中学报到，他在考量与权衡：两所中学相比较，同济大学附属中学的教学质量略高一筹，而且是国立学校。国民政府教育部规定，凡从沦陷区来的学生，在国立学校求学，可免缴学杂费并提供食宿。吴孟超是归国华侨学生，可享受同等待遇，毕业后一般可以直接升入同济大学。这些优势，促使他想再尽力争取试试。

他恳求黄启仁帮忙，联系了同济大学附属中学的郭惠生老师，言辞恳切地诉说着自己不远千里从马来西亚慕名而来，想入同济大学附属中学求学的愿望。在得到校长曹礼吾首肯后，郭老师特许他在该校借读。1940 年 8 月，吴孟超入学同济大学附属中学。

原本，吴孟超只能进入云南大学附属中学就读，同济大学附属中学似乎只能成为求学路上一个未竟的梦想，然而命运似乎暗中伸出了援手。不仅是高中这个转折，之后，他面对了很多看似无望的挑战，凭借他的不懈努力，皆自不可能变成可能。吴孟超心中燃烧着不灭的热情，怀揣着一股不屈不挠的斗志与倔强，仿佛每当步入“山穷水尽”之境，他总能寻得“柳暗花明”的出路。这份能力，常常在关键时刻发挥作用。正是得到了进入同济大学附属中学的机会，他才得以迈进同济大学医学院的殿堂，邂逅一生的爱侣，有幸师从名医裘法祖先生，并最终成为了中国肝胆外科领域的泰斗。

假如爱有天意

当年，同济大学附属中学设在距昆明市区东南约一百里地的宜良县西村狗街。杨家祠堂是一座破旧建筑，用作教室；明末修建的西华寺内安排了宿舍。

课余活动时，吴孟超遇到了一位同年级女同学，来自西子湖畔白皙娴静且温婉贤淑的吴佩煜。1940 年，吴佩煜跟随父母一起来到昆明，顺利考入同济大学附属中学与昆华女中。她选择了前者，理由与吴孟超选择同济大学附属中学的原因如出一辙。

假如爱有天意，那么，一定是天意让他们聚到了一起。吴孟超与吴佩煜，这两位青春时期生活轨迹截然不同的年轻人——一位自南向北跋涉，另一位则由东向西而行，奇迹般在同济大学附属中学聚首，成为同届同学。

他们这个年级共 120 位同学，分配到了两个班级，吴佩煜在甲班，吴孟超在乙班。两间教室相邻，课余活动常在一起。但第一学年过去，吴佩煜和吴孟超连话也没说过几句，她只觉得他踏实努力。他也看出她文静刻苦。

1940 年年底，吴孟超凭借优异成绩，由借读生转为正式学生，拥有了学籍。

中学时代的吴佩煜与父母合影（1940，东方肝胆外科医院提供）

彼时，学校遭遇电力短缺等严重的物资匮乏问题。只有两间教室接通电源，供学生们晚自习使用。物资紧张，连灯泡也需要学生自备，每晚使用后再自行拆卸带走。在这样的环境下，吴佩煜和吴孟超却一如既往地用功学习。最后离开教室的常是他俩。吴佩煜离开后，吴孟超才站起身把灯泡拧下来。这样的事情重复了多次，吴佩煜对这位男同学萌生了好感。随着时间推移，接触渐多，两个人关系日益亲近，了解越来越深。

1941 年 7 月起，国立同济大学陆续由昆明搬迁到四川南溪李庄，同济大学附属中学奉命搬回昆明市区。路上，吴孟超主动走过去，帮吴佩煜提行李。

1941 年底，日本侵略者在马来半岛北部登陆，马来西亚沦陷。这导致吴孟超与家中联系中断，失去了经济来源。面对困境，吴孟超四处奔波做工，赚取微薄的收入，艰难维持学业。一起回国的几位同学，不得不中断学业，各谋生路。唯吴孟超不同，凭借着坚定的意志，继续顽强地坚持求学。

舅舅那句“将来要成为有出息的人”，滋生出无穷的力量，推着他披荆斩棘，勇往直前。吴孟超暗暗对自己说，无论遭遇多大的艰难险阻，都要坚持到底，直至顺利完成学业。这一切的不易，都被吴佩煜看在眼里，于是她悄悄用各种方式给予吴孟超帮助。

在逆境中，真挚的情感更显珍贵。1942 年暑假到了，吴孟超和吴佩煜要进入高三了。为躲避日寇轰炸，同济大学附属中学也决定从昆明搬到四川南溪的李庄，与同济大学本部会合。沿途山路崎岖不平，充满了未知与不可测的危险。学生们搭乘的老式货运“黄鱼车”破旧不堪，车辆倾覆，货物洒落的情况屡见不鲜。吴孟超坚持让吴佩煜坐在驾驶室内确保安全，自己坐在堆得高高的行李上面跟着车的颠簸摇摇晃晃。行动是最好的证明。吴佩煜看在眼里暖在心中，那位经常照顾她的同学，乐于助人又诚实可信，可以把一生放心托付给他。相伴而行，吴孟超也觉得那位气质高雅的女子温柔善良，朴实聪颖，特别可爱。迁徙路上的风雨同舟，让他们对彼此的理解更深，感情迅速升温。

第二次选择

经历迁徙，1942 年深秋，来到四川南溪李庄的同济大学附属中学复课。

吴孟超与吴佩煜表现出色，考试成绩优异，两人日常的谈话内容，常是对未来的憧憬，尤其是关于毕业后的道路选择以及报考大学的志向。

吴孟超怀揣着“工业救国”的理想，梦想将来成为一名优秀工程师。吴佩煜则心志坚定，誓要考入同济大学医学院。

那时，吴孟超和吴佩煜正处于热恋之中，如胶似漆。女孩子心思更细腻。吴佩煜希望男朋友和她一样选择医学院。她劝说吴孟超，掌握了医术将来可以在社会上独立生存，能救死扶伤，还能让国人的体质得到改善。如果两个人都是医生，出则携手，入则相伴，多幸福呀。吴孟超与吴佩煜均持有这样的观点：追求自给自足，确立自己的生活基础，并且不依赖他人，力求独立。吴孟超的心思发生了变化。

国立同济大学医学院旧址（原李庄祖师殿）的大门（东方肝胆外科医院提供）

还有一件事情，对吴孟超下定决心，改投医学院影响很大的。在川南地区，痹病长期肆虐，同济大学医学院唐哲、杜公振教授借助动物实验，揭示了疾病的根源——当地食盐中含有氯化钡。随着痹病被攻克，不仅当地百姓的疾病得以痊愈，众多军队官兵也因此恢复健康，重返前线。这一事件深深触动了吴孟超，使他深刻意识到医学的巨大价值。医学不只是关乎民众的身体健康，还与抗击日寇的斗争密切相关。回国抗日就是最初的选择，而今他意识到，学医正是对抗日战争有力的支持。他不再迟疑犹豫。若要选择学医，同济大学医学院无疑是首选之地，它在我国医学界享有盛誉，是培养杰出医生的摇篮！吴孟超毅然决定放弃工程师的梦想，转而投身医学。这一决定，成了吴孟超人生旅途中至关重要的第二次选择。

1943 年，吴孟超和吴佩煜同时报考同济大学医学院，一同被录取。

第三次选择

吴孟超考入的同济大学医学院，是中国最好的医学院之一，当时有“北协和，南同济”的说法。

入校第一件事就是接受医学伦理教育，学习《希波克拉底誓言》（*Hippocratic Oath*）并庄严宣誓。此外，同济大学医学院要求每位初涉医学领域的学生深入研读唐代杰出医药学家孙思邈的经典之作《大医精诚》。学院在深受德国医学教育模式影响的同时，也展现了对祖国传统医学的高度重视。《大医精诚》全书包含四个篇章，分别是：医术精通、诚心救人、大医之体、为医之法。

吴孟超逐字逐句地比较研读了《希波克拉底誓言》与孙思邈所著的《大医精诚》，对照、思考，让他领悟到，尽管地域文化迥异，但这两位中西方医学巨匠，对于医疗职业的核心理念以及对医者行为规范的要求竟如此不谋而合，甚至在语言表达上，都有诸多相似之处。这一发现，令吴孟超赞叹不已，深感人类文明间的相通性，以及文明进步方向惊人的一致性，都是向着为全人类服务的目标前进。这一认识也坚定了他以踏实的态度学习知识、深入思考，并将所学付诸实践的决心。

尽管吴孟超最初并未立志从医，但在踏入医学领域后，他深受“医者需对病患与社会承担至高责任”的使命感召唤，同时也被医学职业的道德规范与誓言所约束。加之他天性中“追求极致，不做则已，做必卓越”的强烈进取心推动，他迅速将全部精力倾注于学业之中，勤奋学习，孜孜不倦。吴孟超目标明确，干劲十足，他深知，成为一代大医或许路途遥远，但只要坚持不懈地付出努力，成为医术高超的优秀医生定指日可待。而这一切勤奋与拼搏的精神动力，很大程度上来自于儿时舅舅对他的殷切期望——“将来要成为一个有出息的人”。

吴孟超在学业上表现优异，因此连续多年荣获侨务委员会颁发的奖学金，这笔奖学金成了他的经济支柱，确保能够在同济大学医学院专心致志地学习，无后顾之忧。

同济大学的教育理念融合了观察、发现、思考、辩论、体验与领悟等多个环节。它通过严谨求实的教学过程，循序渐进地培养学生们逐步掌握发现问题、提出问题、思考问题、寻找资料、动手实验、得出结论等多种能力、技巧与方法。因此，学生们的阅读、思考与写作的工作量相当繁重，但没有谁喊一句苦说半句累，他们知道，自己肩负着民族责任，一定要学好课程，掌握真本领。

同济大学医学院的“闯三关”在医学院校中声名远扬。这“三关”指的是解剖、生理与生化三门基础课程，它们是医学生必须跨越的重要障碍，是必须闯过的三道难关，且均以口试形式进行检验。顺利通过这“三关”的学生，其学医经历收获浓墨重彩的一笔；而那些未能成功过关的学生，则面临着被淘汰的命运。

吴孟超在解剖学上的功底极为深厚，他对人体的每一个脏器、组织、血管与神经的分布及其走向都了如指掌。每当课堂上教授要求解剖某个部位时，他总能迅速而准确地完成，动作既标准又娴熟。这既得益于他自幼在橡胶园中锻炼出的“动手”能力，也归功于他非凡的领悟力和记忆力。这些特质共同为他日后成长为杰出的外科医生铺设了坚实的基础。

吴孟超与吴佩煜的各科成绩都是班上最优秀的，这从同济大学医学院1944学年的学生成绩表可以看到。

学业上，吴孟超始终名列前茅，是班里的优等生。生活中，他乐于助人，也展现出了卓越的组织能力。第一学年起，同学们就推选他当了班长。

1945年8月15日，日本宣布无条件投降，中国人民艰苦卓绝的抗日战争终于迎来了胜利的消息。次年5月，同济大学作出了从四川迁回上海的决定。在此背景下，吴孟超与吴佩煜经过一番商议，打算先去一趟昆明。因为吴佩煜的父母仍然居住在昆明，她想去探望双亲。更为重要的一个原因是，抗战胜利后，国民政府教育部出台了一项政策，允许海外归侨学生根据个人意愿返回原居地，并由政府资助路费，相关侨务机构负责办理侨生转（退）学手续。

一位在昆明侨务处任职的刘姓同学，历时五个月，成功协助吴孟超完成了返回其侨居地马来西亚诗巫的路费申请流程。这五个月，吴孟超观察着周围的一切，看到听到了很多，这些耳闻目睹不能不引发他的思考。

经过深思熟虑，吴孟超决定留在国内，完成学业，以所学报效祖国。

回到上海后，吴孟超立刻全身心投入到严谨而紧张的专业学习中。彼时，上海正处于解放前的艰难时期。面对大批华侨青年飞回南洋的情况，吴孟超毅然决然地做出了留在祖国，迎接新中国胜利的决定。这是吴孟超人生道路上关键的第三次选择。

第二篇

医生的天职

“医生要有本事，要全心全意爱护病人，为病人服务。”“医生不能把眼光放在赚钱上，也不能凌驾于病人之上，看的是病，想的应该是人，只有全心全意为病人着想，为病人考虑，才能得到病人的尊重，发挥你的医技为病人服务，得到病人的认可……”

第一章 师从教授裘法祖

初见裘法祖教授

1947 年年初的一天，当吴孟超得悉校友裘法祖教授即将前来授课的消息时，满怀激动，连声追问："这是真的吗？裘教授真的要来给我们上课？"要知道，裘法祖教授在德国外科学界大名鼎鼎！

某日，在教导主任陪同下，一位风度翩翩、身着白西服的教授步入教室。主任介绍那就是大家期盼已久的裘法祖教授，刚从德国归来……同学们不约而同地站了起来，报以热烈的掌声，欢迎这位凭精湛刀法闻名遐迩的"裘氏刀法"创设者。

同济大学医学院学生在中美医院内的第一梯形教室上课（东方肝胆外科医院提供）

坐在第一排的吴孟超更是激动不已，弯腰鞠起躬来。他的目光像是被裘教授的身影牵引着，一瞬不瞬地跟随。在吴孟超眼里，裘法祖教授的一举手一投足，都魅力十足，都让他着迷。裘教授开口说的第一句话是："感谢同学们的掌声，我很高兴与大家一起学习外科学……" 这是真正的大家风范。

裘法祖教授

裘法祖年长吴孟超 8 岁，浙江杭州籍。他从小天资聪颖，学习专注刻苦，18 岁（1932 年）从杭州教会学校——之江大学附属高中毕业，入上海同济大学医学预科就读。1934 年在同济大学医学院前期完成学业，随后远赴德国，进入慕尼黑大学医学院深造，成为著名外科学家布龙纳（Bronner）教授的弟子。裘法祖在学业上表现出色，连续多年获得沃尔夫和洪堡奖学金。1938 年，他凭借卓越的表现，通过了德国严格的国家考试和论文答辩，以优异成绩获得了慕尼黑大学医学博士学位，并受聘于慕尼黑大学医学院附属医院，开始了他的从医生涯。

第二次世界大战的烽火燃起，德国的医疗人员被征召到前线，这为裘法祖提供了更多实践各类手术的机会，促使他的医术得到了显著进步。不久之后，裘法祖便从外科住院医师晋升为主治医师，并在抵达德国的第七年，进一步被提升为外科主任医师。1945 年，裘法祖获得了德国"外科专家医师"的荣誉称号，同年，他还被巴特·托尔茨市立医院聘为外科主任。

在第二次世界大战的动荡时期，裘法祖凭着他高超的手术技艺，挽救了无数德国人宝贵的生命。他几乎能够实施从头部到脚部任何部位的手术，而且每一例都做得近乎完美。这也证明了，他拥有着扎实的解剖学基础与超凡的手术才能。

裘法祖以刀法精准闻名整个外科学界，人称"裘派风范""裘氏刀法"。

以偶像为标杆

有关裘教授的医术之高超，是同学间津津乐道的话题。每个人的话语中都饱含着敬佩之情。“裘氏刀法”的神奇，在师生中口口相传，每个人都心向往之。

吴孟超一直对外科情有独钟，自从听说了裘法祖教授非同一般的手术技艺，知道了“裘氏刀法”的出神入化，他就一直把裘法祖教授视为楷模仰视。见到裘教授的风采，吴孟超更加坚定了那个意愿：有朝一日，能追随裘法祖教授的脚步，成为同样杰出的外科医生，该是多么美好的事情！他始终铭记着裘法祖教授对他们这批学生的殷切期望：做人要知足，做事要知不足，做学问要不知足。话中深意，吴孟超反复体味，他知道了该以怎样的态度做人、做事、做学问。

裘法祖教授讲课时带着浓重的杭州腔调，一部分同学理解起来颇觉费力，然而，福建籍的吴孟超却没有这样的听讲障碍，那些抑扬顿挫的声音让他倍感亲切。或许是因为他的妻子吴佩煜同为杭州人的缘故吧，使得吴孟超对杭州人及杭州方言怀有特殊的情感。由于这份源自崇拜的心灵契合，他们师生间逐渐建立起了一段跨越 60 余载的深厚情谊。自 1947 年初那堂启迪吴孟超对外科学产生浓厚兴趣乃至痴迷的课程起，他日后确实谱写出了一部既厚重又光辉的中国肝胆外科新篇章。

迎上海解放

1947 年 12 月底，寒流袭击上海，同济大学率先发起了对社会贫苦底层民众的救饥救寒运动。1948 年初，同济大学学生掀起了更为广泛的爱国运动，“一・二九”事件爆发。

在同济学生举行的“反饥饿、反内战、反迫害”游行活动中，吴孟超一直走在前面，不断振臂高呼。他不仅活跃于示威游行队伍中，还圆满地完成了上海地下党赋予他的一项特别任务。

同济大学礼堂举行的“讨还血债”集会上，学生们群情激奋，严厉声讨了反动军警的残忍暴行，表达了迫切期盼光明的心情。不料会场突遭数百名军警与特务包围，导致 97 名学生遭到强行拘捕。被捕学生随后被囚禁于上海卢家湾一处隐秘的地下室。为了策划营救行动，上海地下党组织的重要成员黄钟传联络了同济大学医学院的三名学生，包括吴孟超在内，共同探讨如何将救援信息传递给被囚学生。

大家商议出了一个办法，由吴孟超装扮成检疫人员，到关押学生的地方，让他们配合营救计划。吴孟超自告奋勇落实了上海红十字会的公函和救护车。

次日午后，伴随着响亮的鸣笛声，救护车径直开到了关押学生的地方。通过站岗军警盘查后，身着医疗防护服的吴孟超以进行常规体检为由，秘密地向被捕学生传达了上海地下党组织的营救方案，并指示他们协同行动，以期早日全体获救。

同济大学所发生的“一・二九”事件，迫使国民政府不得不中止执行《学生自治会规则》。在多方的共同努力下，一周之后，这批学生终于重获自由。

1948 年夏，吴孟超修完了同济大学医学院的本科课程，分配到中美医院实习。

1949 年 5 月底，中美医院接收了大量解放军伤员，吴孟超主动请缨加入抢救组，与医疗团队及实习生并肩作战，从早忙到晚，在手术室里为伤员实施手术、清除弹片、进行伤口缝合等一系列救治工作。

在手术室中的吴孟超越发沉浸于工作之中，连续三天三夜未曾离开过岗位。饿了找点东西垫垫肚子，乏了找个地方阖阖眼睛打个盹。这次经历让他深刻认识到外科手术对挽救英勇战士生命的不可或缺。目睹伤员们因得到及时救治而迅速康复，作为手术室里的实习生，吴孟超深切体会到了外科医生的辛劳，同时也感受到了身为医者，既肩负治病救人的责任又拥有救死扶伤的幸福。自那时起，他坚定了自己的志向：未来要成为一名外科医生，更要成为解放军队伍中的一名军医。

第二章　名牌大学生沦为失业者

分配到儿科

上海迎来了解放的曙光，与此同时，吴孟超也即将完成他的毕业实习，同济大学校长夏坚白、医学院院长梁灿英颁发的临时毕业证书发到了手中。

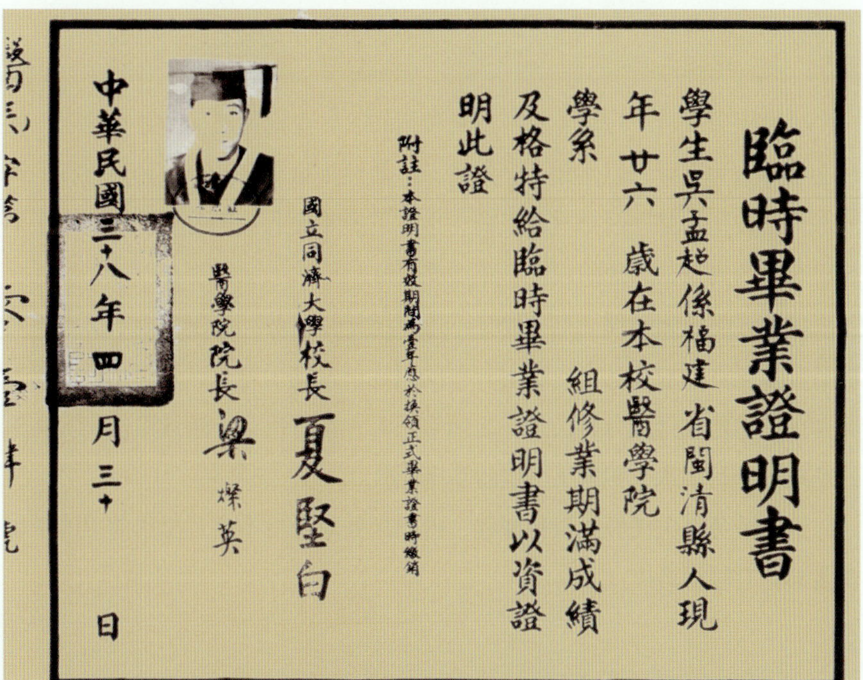

臨時畢業證明書

學生吳孟超係福建省閩清縣人現年廿六歲在本校醫學院學系　組修業期滿成績及格特給臨時畢業證明書以資證明此證

附註：本證明書有效期間為壹年應於換領正式畢業證書時繳銷

國立同濟大學校長夏堅白

醫學院院長梁燦英

中華民國三十八年四月三十日

吴孟超的同济大学医学院临时毕业证明书（1949，东方肝胆外科医院提供）

同济大学医学院中，表现杰出的毕业生常被留校，并分配到同济大学附属医院各科室任职。吴孟超学业有成，成绩优异，留校不成问题，然而能否如愿进入他心仪的外科部门，却是个未知数。分配名单揭晓，他确实如心中所愿留在了本校附属医院，遗憾的是，与外科失之交臂，被分配到了儿科，这与他立志要做一名外科医生的梦想大相径庭。

吴孟超还年轻，但性格坚韧，对于经过全面考量并深思熟虑后的事情与决定，他总是持之以恒，不轻言放弃。特别是受到裘法祖老师的启迪后，立志成为一名外科医生已经成了他矢志不渝的人生追求。

找医务部主任申诉

吴孟超历来是一位勇于主宰自身命运的人，无论遭遇何种艰难险阻，他都会竭尽全力克服，以实现人生的意义。他性格里藏有几分执拗，这样的特质或许会使他在某些时刻遭遇阻碍，但在至关重要的关键时刻，却能赋予他突破难关的力量，为他的成功之路点亮明灯。

接到分配通知的那一刻，他毫不迟疑地赶往医务部提出申诉。吴孟超向医务部主任详尽地表达了自己对外科的向往，并提出恳求，希望学校能够重新考虑，将他安排到外科岗位。之前实习时，他有机会给解放军伤病员实施过基础的外科手术，积累了一定的临床经验。

这位医务部主任教过眼科课程，内心深处对身材不高且思想前卫的学生吴孟超抱有轻视态度。

遭拒引斗志

吴孟超个子不高，医务部主任扫了一眼，告诉他，学校的分配原则是根据考试成绩来最大化个人能力的发挥。吴孟超的外科成绩只有 65 分，儿科高达 95 分，位居全班之首！医务部主任说，考试成绩是最直观的能力体现，他认为吴孟超更适合投身于儿科，那里跟生育养育有关，同样至关重要。

吴孟超已经明确了自己的目标，是绝不会轻易改变的，他是那种“一旦认定，就坚持到底”的人。

才 1 米 62，能当外科医生吗?

吴孟超不断强调自己对外科的热爱，以及成为外科医生的特质。外科医生需要进行手术，他自幼便喜欢动手操作，无论是制作小玩意儿还是雕刻，手指都异常灵活。外科医生能以精准的手术技艺治愈病人，这种干脆利落是其他科室无法相比的，让他心向往之。为了实现目标，执着的吴孟超不肯放弃，持续为自己的外科梦想而努力着。

医务部主任逐渐失去了耐心，他打断吴孟超的话，并挥手示意其停止，同时带着一丝轻蔑的语气说吴孟超的个子只有 1 米 62，不适合当外科医生。

这句话如同一把锋利的刀，深深刺伤了吴孟超那颗既倔强又敏感的心！身高上的不足，让他格外在意他人提及这一“短处”。

吴孟超个子不高，心气儿很高。

“你说我不配当外科医生！好，我偏要当个外科医生给你看看，而且要做一名有出息的一流的外科医生，一名医术精湛的大医！走着瞧吧！”

在那个师道尊严被严格固守的年代，吴孟超这样直接反驳教授的行为极为罕见。

面对留校担任儿科医生的“优厚待遇”，他毅然决然地选择了拒绝，舍弃了这个稳定的生计来源。结果是，吴孟超成了手持名牌医科大学毕业证书的失业者。

第三章　成为外科医生

上海军医大学

在新中国成立初期的上海，社会环境动荡，大学毕业生要想找到一份称心如意的工作面临着巨大挑战。吴孟超孤身一人，没有亲朋好友可以依靠，然而他性格坚韧，始终坚信“车到山前必有路”。

冥冥之中似乎有一双手在拨弄着吴孟超的命运，同时也在眷顾着他。

1949 年 5 月 27 日，上海解放。上海市军事管制委员会成立。1949 年 5 月 30 日，由向进领导的军管组接管了国民党国防医学院和国民党联勤第二总医院。根据华东军区司令部与政治部联合命令：一是将原国民党国防医学院改编为“华东军区人民医学院”；二是将原国民党联勤第二总医院改编为“华东军区人民医学院附属医院”。

1950 年 10 月，“华东军区人民医学院”更名为“上海军医大学”。1951 年 7 月 9 日，由中央军委正式命名为“中国人民解放军第二军医大学”。

1949 年的前几个月，吴孟超通过与伤病员的近距离接触，特别是在参与了救护中国人民解放军伤病员的教学实践活动中，被这支队伍深深吸引，内心充满了对中国人民解放军深深的崇敬之情，渴望能够成为这支光荣集体中的一员。

有志者事竟成

时间到了1949年8月6日，吴孟超依旧在外奔波求职，搜寻整整一天，却一无所获，他的心情沉到了谷底。毕业了，宿舍不能再住，如果找不到工作，他将面临无处落脚的困境。焦急之情自不待言，但正所谓“否极泰来”。当夜幕降临，华灯初上，吴孟超无意间发现了墙上报纸中一则招聘启事，上面赫然写着“中国人民解放军华东军区后勤卫生部招聘医师启事”。这简直是“踏破铁鞋无觅处，得来全不费工夫。”他满心欢喜，当即决定前往应聘。

次日，阳光刚刚擦亮天际，吴孟超就起来了。他满怀期待从同济大学医学院学生宿舍出发，直奔位于上海东北角的江湾翔殷路原国防医学院旧址，那里正是华东军区人民医学院筹备处。彼时，吴孟超尚未意识到，他正在一步一步奔向自己的幸运，将会遇到他人生轨迹的“伯乐”。那就是华东军区人民医学院第一附属医院外科主任郑宝琦教授。

早晨，郑宝琦甫一踏入工作岗位，就看到应聘的人员已经陆陆续续到了，人还不少。启事说整个医院的外科仅几个正式医师的岗位，却吸引了十几位应聘者前来角逐。

起初，个子不高的吴孟超并没有吸引郑宝琦主任的注意，因为不论是外科成绩还是个人形象，他都不出众。后来，吴孟超却以一种独特的个人魅力，深深吸引了郑宝琦主任的目光。

吴孟超步伐坚定、自信满满地跨入了招聘办公室，带着一股豪迈之气，面对主考官郑宝琦教授。他从容地陈述了自己的简历：从五岁便随母远渡重洋寻觅父踪的幼时记忆，到在南洋作为割胶少年的岁月；由十七岁那年立志投身抗战的热血激情，至在云南宜良狗街同济校园内的勤奋苦读；从四川李庄昏暗灯光下埋首整理生化实验报告的专注，到中美医院外科手术室中担任助手时的细心拉钩、精心缝皮……吴孟超生动地叙述了自己童年的坎坷、求知的艰辛，以及矢志成为外科医生的梦想。

主考官郑宝琦教授对这位身材不高却展现出冷静思维、条理分明且逻辑严谨的应聘者颇有好感，因为他深知，良好的逻辑与冷静的头脑正是优秀医生所必备的基本素质。在审阅了吴孟超的简历后，郑宝琦教授了解到这位同济大学医学院的优秀毕业生，本有机会留在母校工作，这让他不禁感到好奇：为何吴孟超会选择来到一所新建学校的附属医院应聘呢？

吴孟超坦诚地说明了他的情况：学校分配他在儿科工作，但他拒绝了，因此来到了这里。随后，他表达了自己坚定的决心，那就是成为一名外科医生。

郑宝琦教授微笑着询问他，外科只考了65分，为什么要执着于外科呢？

吴孟超真诚地回应，成为一名外科医生是他长久以来的梦想和追求，他具备胆大心细的特质，行动迅速，且自幼就被培养出了出色的动手能力。随着话语的深入，他的情绪越发高涨，像是在说一个宣言，他坦言自己一定要成为一名优秀的外科医生，以实际行动向那些认为他不能成为外科医生的人证明。

吴孟超这才说出了关于“1米62风波”的话题。

主考官郑宝琦主任被吴孟超那强烈的愿望深深打动，神色严肃起来。身为外科主任，一名经验丰富的教授，同时也是一位积极寻找杰出人才的主考官，郑宝琦教授坦言，他确实从来没有遇到过这么执着的应聘者。他从心底里喜欢这位小个子面试者的坦诚，喜欢这种对向往的事业一往无前的冲劲，喜欢这个有理想有追求的年轻人的不服输的劲头儿。俗话说“有志者事竟成”，宏大的志向是成就伟大事业的关键。与成大事的志气相比，身材高矮对于成为优秀的外科医生实在并不重要。要想成为一名优秀的外科医生，真正重要的是对外科事业的热爱程度以及为之献身的精神。于是，郑宝琦教授当即作出了吴孟超面试通过的决定。吴孟超得偿所愿，可以办理相关手续，加入郑宝琦的团队。他打算将吴孟超安排到外科，担任自己的助手。

惊喜来得太快，让吴孟超一时之间从口若悬河变得言辞不畅。心中的激动之情无以言表。他不曾料到，郑宝琦教授竟是如此一位慧眼识人的“伯乐”。他本能地站起来伸出手，与这位即将成为他导师的人紧紧相握，舍不得松开。

吴孟超握住的是一双神奇的手，牵引着吴孟超的脚步走向外科领域的纵深处。

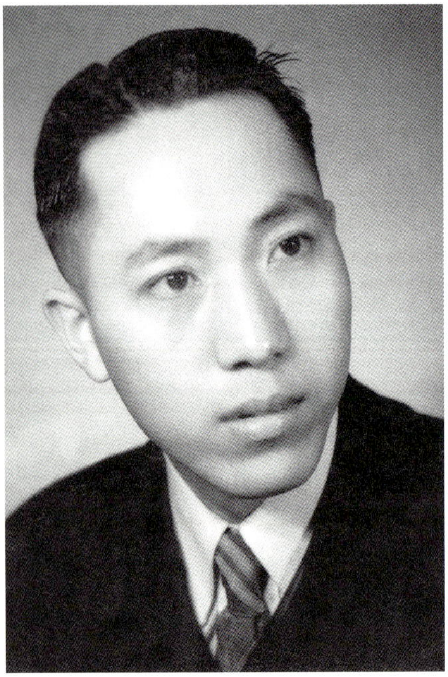

当上外科医生时的吴孟超（东方肝胆外科医院提供）

得偿夙愿

郑宝琦教授评价吴孟超身上洋溢着一种特质，那是一种年轻人特有的、永不言败的冲劲，一种令人由衷钦佩的坚韧不拔，一种初生牛犊般无所畏惧的闯劲。这些品质，恰恰是成就一名杰出外科医生最重要的品格。吴孟超骨子里潜藏的这些特点，打动了郑宝琦教授。

吴孟超梦寐以求成为外科医生的愿望最终得以实现，这一转变的关键一步，得益于郑宝琦教授的慧眼识珠。是郑教授引领他成功地从理论学习的教室迈向了实践操作的临床领域。

吴孟超深情地表达了对郑宝琦教授的无限感激之情，他强调自己的一生都将铭记这份恩情，因为当初正是郑宝琦教授独具慧眼，发现了他的才能，否则，他或许就与外科这个职业失之交臂了。

郑宝琦教授培育了肝胆外科领域的一名杰出新星，日后，其光芒不仅照亮了肝胆外科的发展之路，也点亮了人类征服癌症的希望之光。

递交入党申请书

1949 年底，吴孟超向党组织递交了入党申请书。

朝鲜战争爆发后，裘法祖教授加入赴朝前线医疗队。刚刚参加工作的吴孟超不能像裘法祖教授一样到前线去，但他同样以满腔热忱的工作态度以及主动捐款等力所能及的方式为“抗美援朝”战争贡献着自己的力量。

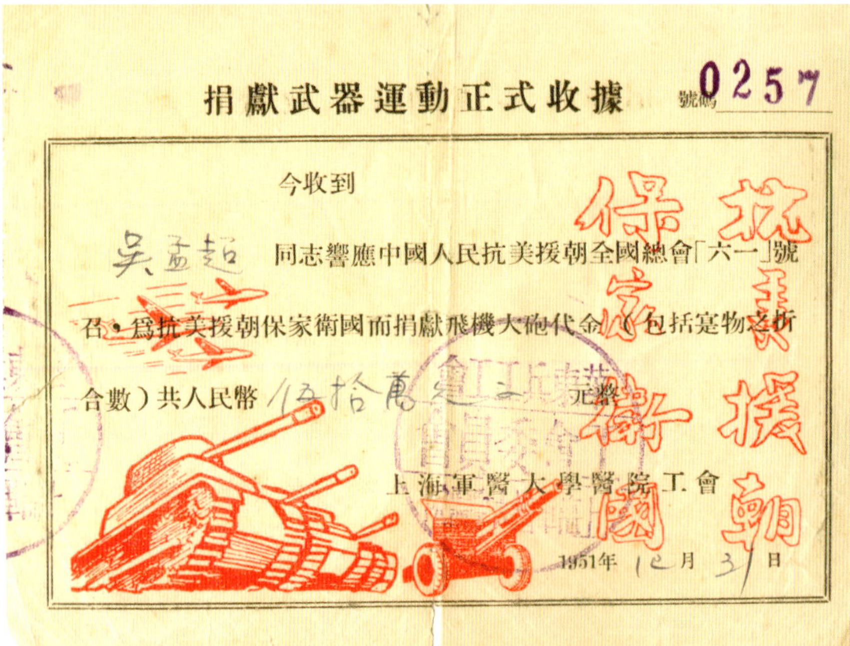
捐獻武器運動正式收據　號碼 0257

今收到

吴孟超　同志響應中國人民抗美援朝全國總會「六一」號召，為抗美援朝保家衛國而捐獻飛機大砲代金（包括實物之折合數）共人民幣 伍拾萬 元整

上海軍醫大學醫院工會

1951年 12月 31日

抗美援朝 保家衛國

吴孟超为“抗美援朝”捐款的证明（1951，东方肝胆外科医院提供）

让我们再次聚焦于华东军区人民医学院及其附属医院。作为新政权初创时期的军事医学教育与医疗服务机构，它们在政治立场与安全保障方面保持着高度警觉。正因如此，华东军区人民医学院及附属医院在成立初期，对全体工作人员实施了极为严谨的政治审核与观察措施。虽然吴孟超是一名才跨出医学院校门的学生，但马来西亚归侨的身份，还是必须接受严格烦琐的审查。他经历了多次谈话、简历撰写以及表格填写等流程，尽管带来了一些困扰，但他深知配合这些工作是必须的。

面对种种挑战时，他秉持了让事实证明一切的原则，以无比勤奋与不懈努力，力求迅速掌握精湛的外科技艺，完成一场场完美的手术。他工作起来近乎忘我，每天早出晚归，诚恳地向医院各位资深的老医生和专家虚心求教。同时，他也能沉下心来深入钻研，扎扎实实地积累真学问。在政治追求上，吴孟超表现出强烈的进取心，积极向党组织靠拢，热切地表达了自己参军和入党的愿望。部队对吴孟超这样渴望进步的青年知识分子表示了热烈的欢迎。

身为华侨，且亲人皆在海外，吴孟超在申请加入中国共产党的过程中，注定要经历漫长而严格的考验。他虽年少却心智成熟，对此有着充分的心理预期。自递交首份入党申请书那一刻起，他的政治信念便已如磐石般坚不可摧。这亦是吴孟超一贯秉持的人生信条：一旦认定目标，便矢志不渝，绝不轻易动摇。

1951 年 7 月，中央军委下发通知，将“上海军医大学”定名为“中国人民解放军第二军医大学”，“华东医学院附属医院”更名为“第二军医大学第一附属医院”。在担任第二军医大学助教的同时，吴孟超也在该大学第一附属医院外科担任了住院医师的职务，这标志着他外科职业生涯的正式启程。

穿上军装的年轻军医吴孟超（东方肝胆外科医院提供）

第三篇

结缘肝胆闯禁区

吴孟超向裘法祖教授直抒胸臆："老师，我这几天一直在思考，学科日益细分，学术日趋专精，下一步我该朝什么方向发展？是否应该在普通外科的基底上，术有专攻？"

裘师深思片刻，不急不缓地说："当今世界上，肝脏外科是薄弱环节，我们国家在这方面还是空白，偏偏我们国家又是肝脏疾病的高发地区，如果你真有此心，今后可朝这个方向发展。"

恩师一言，茅塞顿开。吴孟超对裘师的话心领神会，这确实是学术上面临的一次重大且艰难的抉择，"那我今后就朝这个方向努力！"

第一章 三喜临门精神爽

步入婚姻殿堂

吴孟超进了第二军医大学之后，喜事连连。

第一件是十年的恋爱长跑修成正果，吴孟超和吴佩煜要步入婚姻的殿堂了。

1949 年，甫一踏出大学校门，吴佩煜便如愿以偿在上海市第一妇婴保健院开始了她的住院医生生涯。紧接着，吴孟超也在第二军医大学第一附属医院外科当了住院医生。这对恋人自 1941 年在中学相识并坠入爱河，到 1951 年，已跑过了近十年爱情“马拉松”。

按常理而言，这两位年届二十九岁的大龄青年的结合，应当是自然而然、皆大欢喜的美好事情。然而，吴孟超与吴佩煜的婚礼，却意外地引发了一段“违反医院规定”的小风波。

吴孟超与吴佩煜向相关领导正式提交了结婚申请，这一请求得到了外科主任郑宝琦的理解与支持。然而，遗憾的是，第一附属医院的领导并没有批准这份申请。原因在于医院内部存在一条虽未明文规定但却被广泛遵循的原则：住院医师不论年龄多大，一律不准结婚。这一规定虽未成文，却被所有人严格遵守，已经成了根深蒂固、难以撼动的“潜规则”。

正值此时，新中国成立后的第一部法律——《中华人民共和国婚姻法》颁布实施，为人们的婚姻提供了明确的法律依据。有法可依，吴孟超与吴佩煜早已满足了结婚的各项条件。吴孟超是一位行事极有原则的人，他敏锐地注意到，医院的规定有一条明确指出：本规定内容与现行法律相抵触的，以法律为准。显然，相较于第二军医大学的校规，《中华人民共和国婚姻法》具有更高的法律效力，应该以法律为准。

吴孟超以十分严谨的态度，再次向领导提交了结婚申请。这次，在得到郑宝琦主任默许后，申请被直接递交给了院长和政委。然而，时间一天一天过去，迟迟未见任何回馈。在吴孟超看来，自己的婚姻是完全合法的，国家的法律无疑应当凌驾于医院的规定之上。

尽管未获得领导的批准，吴孟超与吴佩煜还是毅然决然地前往民政部门完成了结婚登记，并且在同学们的热心协助下，于上海国际饭店举办了一场既简约又不失热闹的婚礼庆典。

在当今时代看来，这种敢于无视领导权威的“越界”想法或许显得颇为“自然”。然而，在那个思想尚被严格“束缚”的年代，若缺乏足够的“胆量”或打破枷锁的“勇气”，这样的行为简直是难以想象的！

吴孟超与吴佩煜的结婚照（1951，东方肝胆外科医院提供）

当吴孟超完成婚礼返回医院工作岗位时，院长询问他的去向，他很诚实地回答结婚去了。随之而来的结果可想而知——行政记大过处分。新婚燕尔之际，新郎吴孟超接到了这份处分通知，却一点没有惊讶和不悦，他和爱人吴佩煜都坦然地认为这是他们冲破陈规陋习必须承受的结果。许多大龄未婚的年轻军医暗暗为他们叫好，对他们敢于“出格”的勇气与行动表示钦佩。

婚后生活甘与苦

新中国成立之初，国家正处于亟待建设的阶段。吴孟超和吴佩煜的婚后生活也是颇为艰辛。最初，医院只分给他们一间简陋的房子。吴佩煜的工作单位在上海西南角的长乐路 536 号，而吴孟超所在的第二军医大学第一附属医院则位于东北部的长海路 168 号，两地相距甚远，几乎横贯了上海城，有近 20 公里的路程。公交线路有限且换乘频繁，加之等待时间，单程通勤便需耗费两个多小时。这还得是在比较顺畅的情况下。吴佩煜参加工作不久，临床事务多，需频繁轮值白班与夜班，以至于每两周才能回家一次。

1951 年 8 月，大女儿吴玲出生。由于孩子是早产儿，小吴玲在医院婴儿室足足待了半年才接回家里。吴孟超每天要准时上班，吴佩煜也不能天天回家，夫妻俩决定聘请一位保姆来照料孩子。他们的居所外附带一条走廊，保姆夜间便在那个狭长的空间休息。出于对保姆日间辛劳的体谅，晚上吴孟超选择自己承担起照顾孩子的任务。他在紧邻大床的位置安置了一张童床，在哄孩子进入梦乡的时候，也不忘兼顾自己的事务，读书，撰写教案，或研读论文分析数据……不论做什么，有一件最重要的事必须做好，那就是给婴儿换尿布。

1953 年，借由人员互调的方式，吴佩煜从上海市第一妇婴保健院调到了第二军医大学第一附属医院妇产科工作，成了一名军医。自此，他们终于结束了在两家医院间奔波的婚后生活。吴孟超和吴佩煜都是住院医生，医院按规定调整了他们的住房，分了一套两居室。刚搬进两居室，吴佩煜的父母就退休了，搬来上海与女儿女婿共同生活。吴孟超又迎来了二女儿吴珉与三女儿吴瑛的诞生。祖孙三代七口人，再加一位保姆和一位奶妈，居住空间十分紧张。小小的两居室，根本无法满足九口人的居住需求。

面对如此拥挤的居住环境，吴孟超夫妇不得不向医院领导提出申请，安排值夜班以便可以在病房过夜。如果没有通宵夜班的机会，他们就只能勉强睡在家里狭窄的过道上。冬日的寒风穿堂而过，冷得让人难以忍受；盛夏则闷热难耐，让人几乎无法呼吸。幸运的是，好心的邻居伸出了援手，借给他们一间仅 7 平方米的小屋，这才暂时缓解了居住困难的情况。

吴孟超一家 20 世纪 50 年代拍摄的合家欢（东方肝胆外科医院提供）

1955 年，吴佩煜轮转到江湾医院，恰逢家中三个女儿同时出麻疹，这让她心急如焚，然而医院里的繁重工作和职责所在，使她无法抽身请假回家照料。所幸的是，一位儿科医生是吴佩煜的同学，每天不辞辛劳地给三个小姑娘进行诊疗，解了吴佩煜的燃眉之急。

吴孟超夫妇的薪资不高，养活一大家人，经济上难免捉襟见肘。好在，岳父吴尧叔管理工资，处处精打细算，量入为出，甚至连三个孩子每天能吃多少饼干和糖都列入预算。吴孟超值夜班时，每晚可以拿到五角钱的加班费，吴佩煜在江湾医院轮转半年，每晚夜班补贴是一角五分。虽然这些加班费数额不大，但他们还是选择积攒下来补贴家用。有一年，吴孟超胃炎发作，需要吃病号饭，钱不够花，无奈只得把自行车和收音机卖了，换钱买粮食。当资金实在周转不开时，他们不得不通过借债来维持日常开销。医院工会组织了解到他们家的实际困难，建议填写困难补助金申请单，以获得一定的经济援助。然而，吴孟超却婉拒了这份好意，说："我们家哪有什么困难？三个小孩都喝着牛奶呢！"吴孟超不肯向组织提要求，吴佩煜对此也无可奈何。在那段时间，夫妻俩为《大众医学》杂志写科普文章，不仅提升了学习与表达能力，还可以带来一些微薄的稿酬。尽管这些稿酬对家庭开支来说只是杯水车薪，但总归能在一定程度上缓解经济压力。

光荣加入中国共产党

吴孟超自从参加工作，就分外努力。郑宝琦主任非常喜欢他，常常给予点拨。功夫不负有心人，很快，吴孟超在外科领域打下了坚实的基础。当时，吴孟超在第二军医大学第一附属医院（现上海长海医院）、第二附属医院（现上海长征医院）和江湾医院轮转，实践的机会很多，临床经验积累得快。在深入研究和精进医疗技术的过程中，吴孟超同时也受到了军队内部浓厚政治氛围的熏陶，使得他在政治上对自己提出了严格的要求。他一次又一次地递交入党申请书，总共递交了 19 次。

吴孟超是马来西亚归国华侨，有这种海外关系背景，在军队中申请加入中国共产党无疑面临着巨大的挑战。为了彰显对党组织的忠诚与坚定，吴孟超主动把父母和弟弟以往的来信全部上交组织审查。

1956 年 6 月 22 日，吴孟超的小弟孟科（孟康）从马来西亚寄来两张照片并夹上一张字条，上面除注明照片中的人物，还附着留言：

超哥：我现在已经向邮政局请求，允许我们寄这两张照片，请查收。照片内我相信兄有的是认识，有的是不认识，现在我详细地述出。

敬祝阖家平安快乐！

弟　孟科

1956 年 6 月 22 日

（注）一张照片是父亲大人独摄。

从弟弟的这段留言中可以察觉到，当年的马来西亚对寄往中国的邮件同样实施了严格的管控。吴孟超一家能够收到这张有马来西亚 21 位亲人的照片，无疑是极其宝贵和珍贵的。自吴孟超离开父母及弟妹，已经整整过去了 26 年，家里的变化太大了，照片中除了父母、三位弟弟与妹妹，其余的亲人他几乎都已经认不出。对家人的思念之情难以割舍，特别是对年迈的双亲更是牵挂不已。他把照片小心地藏在枕头底下，偶尔拿出来摩挲。每当夜深人静时，思念便如潮水般汹涌澎湃，难以平息。

1956 年初春，中国共产党中央委员会组织了一场全国范围的知识分子大会，发出了“向科学进军”的号召，并制订了《1956—1967 年科学技术发展远景规划》。这一系列举措，对于知识分子来说，无异于喜讯降临，预示着中央政府已将激发知识分子的潜能事项纳入重要工作日程上来了。与此同时，中国人民解放军总后勤部党委也积极响应，不仅制订了在知识分子群体中吸收党员的方案，还规划了吸纳专业技术人员参军的计划。吴孟超有幸把握住了这一历史性的转折点。

这一年的吴孟超，可以说是“大鹏一日同风起，三喜临门不必急。”

3 月 28 日，他光荣地加入了中国共产党。为了这一刻，他足足盼了 6 年。

6 月 12 日，吴孟超被批准参军，并被授予大尉军衔。

在同一年里，他的职业生涯取得了进展，从住院医生晋升为主治医生，获得了独立执业的资格。

天赐良机做助手

裘法祖教授自 1947 年担任同济大学医学院外科主任以来，率先实施了七八项较为复杂且高风险的外科手术。基于此，裘法祖频繁地在上海外科学术会议上分享手术技巧，促进广泛应用。随后，他不断挑战更多高难度的手术，同样成功推广了创新方法。因此，“裘氏刀法”在上海外科医学界广为人知，备受推崇。

1953 年 9 月的一天，刚结束了一台手术的吴孟超，被第二军医大学校长吴之理教授请到了办公室，同行的还有他的同事方之扬。校长向他们委以重任，邀请裘法祖先生来第二军医大学第一附属医院当兼职教授。

吴之理校长知道，在同济大学医学院学习期间，吴孟超是裘法祖教授开设的外科学课程的学生；方之扬毕业于德国人办的同德医学院，也曾受教于裘教授，与裘教授关系颇为亲近。因此，派遣这两位前去劝说裘法祖教授担任兼职教授之职，无疑是最合适的人选。他俩可以先进行初步接触，试探一下裘教授的态度。如果裘法祖教授对此有兴趣，吴之理校长便会亲自出面，正式发出邀请，这样一来，一切便水到渠成。后来的事实证明，吴之理校长的判断确实完全正确，他成功地“以卒待正”，请到了这位大将。

接受了使命的吴孟超和方之扬，内心充满了激动与振奋。当日，他俩就带着医院的介绍信去求见裘法祖教授。在见到教授后，吴孟超率先进行了自我介绍，当提及数年前在同济大学医学院聆听教授授课的情景，这立刻唤起了裘法祖教授的记忆，他一下子想起了总是坐在第一排、热衷提问的小个子学生。师生重逢，带来了难以言表的喜悦。之后，裘教授与他们共同沉浸在往昔诸多趣事的回忆之中。

令吴孟超和方之扬感到无比欣喜的是，裘法祖毫不犹豫地答应了他们的邀请，高高兴兴地应允成为第二军医大学第一附属医院的兼职教授。

仿佛是命运的巧妙布局，让吴孟超有幸再次成为裘师的弟子。回忆往昔，每当裘教授讲解外科学课程，吴孟超总是提前来大教室占座位，这样才能坐到第一排的中间位置，以便能清晰聆听裘法祖教授每一句精彩绝伦的讲解，细致观察黑板上的每一个字迹，以及捕捉到教授每一个微妙的表情。然而，在中美医院实习期间，因个子不高，他难以挤到前排观看裘师的手术演示，这成了他的一大遗憾。但如今情况已经截然不同，他不仅能够紧随裘师左右，参与查房、询问病史、观察手术……每一个细微动作都收入眼底，每一句教诲都深刻铭记，更有机会直接向裘师请教，这无疑是莫大的荣幸！机遇确实青睐有准备的人。

吴孟超视裘法祖教授的出现为命运的转折点。他勤奋好学、聪颖且富有洞察力，深得裘师的喜爱。这位小个子学生总是如影随形地跟在裘师身后。很快地，裘师便邀请吴孟超担任他的手术助手。

吴孟超的勤勉好学以及对事业的坚定追求，在裘法祖教授心中留下了深刻印象。作为中国外科领域的权威，裘法祖对学生、对助手、对护士要求素来严格，然而他对吴孟超却展现出了异常的关照和认可。他毫无保留地把自己的学问和本事，倾囊相授给吴孟超。每一次吴孟超参与手术时，裘教授都会极其细致且耐心地演示，并清晰地点明关键步骤。对于吴孟超提出的任何问题，他都耐心解答，从不厌倦。这便是师徒间的一教一学，相得益彰。吴孟超对裘师的每一个手术细节与技巧都悉心研究，竭力模仿。随着时间的推移，吴孟超的手术风格愈发接近裘师，技艺也突飞猛进。不久之后，裘教授与学生吴孟超在业务上已默契无间，成为了最佳的合作伙伴。

吴孟超对“裘氏刀法”的领悟在于其精髓是精确无误：“在手术中，以精准见长，手术时不多划一厘米，也不少缝一针，尽量减少病人的创伤”。吴孟超不仅深入学习了裘师的手术技巧，更全心全意地吸纳了医学中更为关键的要素——即医生的职业操守与对病患的深切同情与关怀，就如同他不断充实自我，深化理解一般。

哪怕在用餐时，吴孟超对恩师的关照都是体贴入微的（东方肝胆外科医院提供）

通过领悟并践行恩师的医疗哲学与医术实践，吴孟超掌握了恩师独到的观察思考方法及手术技巧，收获颇丰。在其后数十年的医疗生涯中，他视师如父，对病患一视同仁，对同事以诚相待，对学生乐于奉献。这些经历，为日后成为杰出医者的吴孟超，打下了坚实的为人、处世与治学的基础。

第二章 “勇闯禁区”与“献身精神”

结缘肝胆闯禁区

时至1956年春，吴孟超于第二军医大学第一附属医院已小有成就，且在普通外科领域崭露头角。尽管荣誉加身，吴孟超并未止步，反而更加奋发向前。他深知，身为人民军医，仅掌握普通外科手术远远不够，欲在手术界立足、事业上开疆拓土，必须精通一门专长。此刻，一个念头萦绕在心头：未来的路，该向何方深耕？

某天晚饭后，吴孟超脚步匆匆地去拜访裘法祖教授，以求指点迷津。他向裘教授敞开心扉，表达了自己的迷茫：未来的道路该如何抉择呢？是否该在普通外科的基础上，精进专长？

裘法祖对弟子未来的专业道路亦有所考量。他沉思片刻后告诉吴孟超，现今全球肝脏外科尚属薄弱领域，而我国在此方面更是空白一片，加之我国肝脏疾病频发，如果吴孟超志在此道，不妨朝那个方向努力。接着，裘师又深情而严肃地提醒他，切记那是一块未经探索的‘新大陆’，挑战重重，困难非小……

导师的一番话，如甘露洒心。吴孟超恍然大悟，这无疑是学术道路上一次既重要又充满挑战的决定，他要向那个方向奋力前行。

20世纪50年代，我国肝脏外科尚待开拓。裘师再对吴孟超言明，以外科医生的发展路径观之，可分两类：其一为专注临床者，通过不断磨砺与精进，或可成为技艺超群的手术大师；其二则为临床与科研并重者，既深耕基础研究又涉足临床研究，且需要择一项深入，若能产出成果，对医学有所建树，则可成就“医学大家”了。当然，后者之路更为崎岖，耗尽一生心血也未必能在某一领域有所突破。但这是一种无私的奉献，为后来者奠定基石。医学之进步，实乃无数具有献身精神的前辈，一步一步累积而成，其中多数甚至默默无闻。科学之门，如同地狱之门，其间的艰辛与困境，要有充分的心理准备！

这既是契机也伴随着考验。裘师的远见卓识与诚挚的肺腑良言，令吴孟超深刻地领悟到了其中的深义，尤为关键且珍贵之处，在于拥有“敢闯禁区”的胆量与“献身精神”的无私。

第一部译著《肝脏外科入门》

与裘师深入交谈后，吴孟超迅速付诸行动。次日，他下班后直奔上海各大图书馆，尤其是第二军医大学图书馆，迫切寻找所有与“肝”相关的书籍。然而，他四处奔波，几乎搜遍了每一个角落，却发现相关读物寥寥无几，几乎找不到一本专门的肝脏外科著作。最终，在自己的母校图书馆，他意外发现了一本英文版《肝脏外科入门》，由荷兰的亨利 · 甘斯（Henry Gans）所著，虽为一本新出且较为薄弱的普及读物，却让吴孟超如获至宝。正如裘师所言，肝脏外科领域在国内几乎“空白”，相关专著难觅踪迹，这并不意外；但连国外资料也如此稀缺，却让他始料未及。当时，我国医学学术研究尚未对外开放，外文资料匮乏也在情理之中。然而，这对满怀壮志的吴孟超而言，无疑是一个严峻的挑战，让他深切意识到，探索肝脏外科的道路将是在荆棘丛生的荒野中艰难前行。

前路崎岖，走还是不走？

作为一名军人，怎么能面对畏途迟疑？若不艰难，我吴孟超就不会选择！

“我材必有所用”！吴孟超的天性便是勇于突破现状，敢于追求前所未有的伟大超越，这正是他的本色，也是他生命价值的体现。

吴孟超将《肝脏外科入门》这部著作借出，心中暗想：若能潜心研读，或许就能找到开启肝脏外科大门的那把钥匙！

吴孟超在马来西亚度过了十多年的童年时光，这使得他的英语阅读能力远超同龄的医生。虽然阅读英文版的《肝脏外科入门》对他来说还算顺畅，但在面对专业术语与描述时，他仍感到有些困惑，怎么办？向裘师求教，无疑是最明智的选择。

吴孟超在细细推敲译文（东方肝胆外科医院提供）

裘法祖见吴孟超正在研读相关著作，感到甚是欣慰，仿佛看到了我国肝脏外科领域的嫩苗正在破土而出。他粗粗浏览了这部书籍后，对吴孟超明确指出：该尽快将其翻译出来，这将有助于我国外科学界更好地认识肝脏外科，即便是作为该领域的“预备役”，也是极有价值的。

吴孟超携手外语能力出众的同事方之扬，共同承担起这部著作的翻译工作。初次涉足英文专著的翻译领域，其挑战之大不言而喻。首要难题在于专业知识的匮乏，大学课程中鲜有涉及肝脏解剖与病理的内容，学科基础近乎空白；其次，语言转换亦非易事，尽管能大致理解英文原意，但要精准无误的用中文表述，实属不易。这不仅仅是文字的直接转换，更需兼顾中文的语法规则、修辞美感和逻辑严密，每个字词的选择都需反复思量！还有一个更大的困难，是时间的紧迫性。吴孟超日常需要查房、手术、授课，加之每周固定的门诊……工作量已近极限，每日劳作后身心俱疲，却仍需要在夜晚打起精神，挑灯翻译，效率自然难以保证。一旦科室有紧急病患，他必须立刻放下书稿，赶去病房。因此，翻译初期，进度缓慢犹如蜗牛爬行，万事开头难呀！但开弓没有回头箭，既定目标不容退缩，即使困难重重，也必须咬紧牙关，确保翻译的质量与数量。为保证译文的准确与直观，吴孟超与方之扬对每一个词汇、每一句话都进行了深入细致地推敲，遇到不确定的专业术语或表达生硬的句子，便虚心向裘法祖教授或者医院里其他专家和同事虚心求教。俩人时常就某句话的翻译方法各抒己见，互不相让，争论得热火朝天。正是在这样的思想碰撞中，智慧火花四溅，真理越辩越明，诸多难题在激烈的讨论中迎刃而解。

偏巧这个时候，吴孟超患上了细菌性痢疾，呕吐腹泻，发热攀升到40℃，不得不入住隔离病房接受治疗。身体被困在病房，心却记挂着《肝脏外科入门》的译著。因病不能工作，却意外获得了大把时间，病情稍有好转，他便急切地央求妻子吴佩煜把原著、辞典、纸和笔等必需品带来，一边打着点滴，一边翻译书稿。吴佩煜深知丈夫的秉性，也深刻理解他对事业的执着追求，因此总是选择无言地给予他最大的支持。每当遇到难题或重大疑虑，吴孟超就邀请方之扬到病房里共同商讨。得益于时间的宽裕，工作效率显著提高，经过一个多星期的不懈努力，他成功翻译了3万多字。

40多天后，吴孟超和方之扬携着翻译稿件，前往裘法祖教授处进行汇报，令裘教授大为惊讶，他希望两个人尽快完成，没想到速度这么快！他夸赞两人果然是军人作风，执行力强。

裘法祖教授对书稿进行了细致的审阅，他认定《肝脏外科入门》乃我国首部中文肝脏外科入门读物，对于肝脏外科领域，乃至整个普通外科，均具有举足轻重的意义。

经裘法祖教授推荐，由荷兰外科学家亨利·甘斯著，方之扬、吴孟超翻译的《肝脏外科入门》，于 1958 年 5 月由上海卫生出版社正式出版。此书标志着我国肝脏外科领域首部译著的诞生，为吴孟超在肝脏外科领域的探索奠定了坚实的理论基础，同时填补了国内肝脏外科专著出版的空白，成为了普及我国肝脏外科学术知识的重要读物。

《肝脏外科入门》的翻译经历对吴孟超日后的科研道路产生了极大的鼓舞，其作用堪称决定性。正是基于该书基础理论的支撑，吴孟超坚实地踏出了向肝胆外科领域进发的第一步。

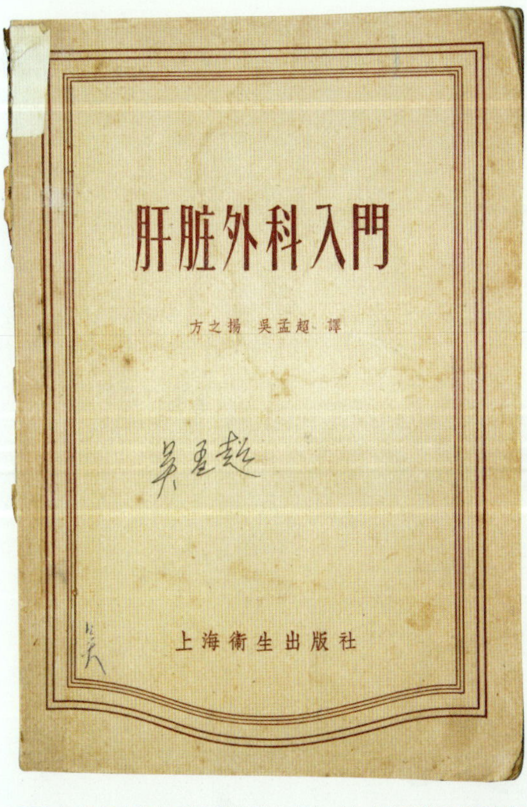

1958 年 5 月出版的《肝脏外科入门》（东方肝胆外科医院提供）

三人肝胆外科研究小组

就在吴孟超决定投身于肝脏外科后不久，1958 年 8 月发生了这样一幕：一个日本医学代表团来华访问，行程由北京至上海。在访问期间的参观和讲学活动中，代表团中的一位教授在第二军医大学发表了一场关于肝脏外科的学术报告。在讨论环节，这位日本专家针对肝脏外科尚未成熟的现状，傲慢地认为中国的肝脏外科要达到日本当时的水平，起码要三十年！

这一断言让在场的所有中国医师，内心深感莫大的耻辱，吴孟超亦不例外，这成为了一道难以抚平的心灵伤痕。

当晚，吴孟超辗转反侧，难以入眠。往昔在西贡受辱的记忆再度涌上心头，那位日本人的傲慢姿态与狭隘观念，令他再次感到强烈的憋闷。吴孟超心潮澎湃，久久不能平息。满怀激情的他，不由自主地起身穿衣，怀揣着炽热的民族自尊与对医学的崇高使命，伏案疾书，给医院党委起草了一份可行

挑灯研读是吴孟超几十年不变的习惯（东方肝胆外科医院提供）

性报告，着重强调进军肝胆外科的重大意义与迫切需求。待他将报告反复推敲、润色并工整誊写完毕，已是朝阳初升。吴孟超意犹未尽，又在纸上写下16个大字：自力更生，艰苦奋斗，奋发图强，勇攀高峰。

此后，这十六个字不仅成为了吴孟超探索肝胆医学领域的人生信条，也镌刻为他亲手创立的东方肝胆外科医院的“座右铭”。

人需秉持骨气，心怀精神。前述16字就是吴孟超崇高精神风貌的精髓所在，映照着他的人生理想与思想高度。众多历史案例亦证实，凡成就卓越之人，皆能将个人的人生信条与祖国和民族的命运紧密相连。他们坚守誓言，矢志不渝地践行之。这正是大医精诚中“诚”的体现。

第二军医大学第一附属医院党委收到了吴孟超的汇报，对此给予高度关注，并随即向第二军医大学党委呈交了报告。

1958年10月，第二军医大学第一附属医院成立了三个科研攻关组，分别是烧伤科、胸心外科和肝胆外科。肝胆外科的科研攻关组由吴孟超任组长，携手张晓华和胡宏楷（俗称“三人小组”），全院寄予厚望，期盼他们在肝胆外科研究中取得突破性成就。

思考与质疑的创新者（东方肝胆外科医院提供）

开局难，难的是跨出第一步，医学领域的探索之路，迈出第一步尤为艰难。肝胆外科“三人小组”初建之时，面临着无学术资料可资借鉴，无研究仪器可供使用的困境，甚至缺乏肝脏外科的相关医疗档案。医院所能提供的，仅是一间昔日饲养医用实验犬的旧房子、数套陈旧的桌椅、若干常规外科工具。然而，“三人小组”却拥有三位志向远大，满怀抱负的年轻人，他们是三个勇于开拓、敢于挑战的精英。人才，是最为珍贵的资源，由这三位杰出才俊组成的“三人小组”，任凭前路多么艰难险阻，也能寻觅到克服之道。

“三人小组”刚刚成立，一次失败的肝脏外科手术，让吴孟超陷入了沉思。我国肝癌病例众多，肝脏手术却长期被视为“无人敢涉足之地”，难道真要如那位狂妄的日本专家所言，需要“至少三十年”才能涉足肝脏手术领域？这背后的缘由究竟是什么呢？

肝脏作为人体最大的实体脏器，扮演着“能量生产基地”和“化学处理中心”的关键角色。食物经过消化后，需在肝脏中完成加工、转化、解毒和能量储存。此外，肝脏还涉及造血、凝血机制及胆汁分泌等诸多重要功能。正因如此，肝脏内部布满了错综复杂的管道网络，包括密集的血管系统，以及交织其中的胆管和淋巴管，其结构繁复，难以捉摸。若手术时无法精确有效地控制出血，稍有差池就有可能引发大出血，术后持续渗血更可能危及患者生命。那个年代，肝癌被视为绝症，人们面对黄疸或肝腹水的患者时，往往因恐惧传染而避之不及。

面对肝癌，难道国人就一直处于束手无策的困境中无法自拔吗？究竟如何才能探索出外科治疗肝癌的最佳方案呢？接下来，又该引领“三人小组”朝哪个方向进行突破呢？这些问题萦绕在吴孟超心头，令他食不知味，寝不安席。

美丽的“珊瑚”——肝脏管道标本

既然要研究肝脏，那么首先要解决的，就是研究肝脏到底从哪里起步，从什么地方寻找突破口。

带着疑问，吴孟超与张晓华、胡宏楷展开了深入探讨，这成了“三人小组”成立以来的核心议题。他们历经艰辛，搜集到的资料却寥寥无几，发现国际上对于肝脏解剖理论尚未形成统一或公认的标准。方之扬与吴孟超合译的《肝脏外科入门》一书，对肝脏止血办法只字未提，而其他所能找到的文献资料，也对此鲜有论述。显然，要掌握肝脏止血技术，必须从探究肝脏内部血管及其他管道的布局与走向入手，也就是必须了解肝脏的生理解剖结构。经过激烈的讨论甚至辩论，从肝脏解剖学理论基础出发，成了他们不容置疑的共识。唯有透彻掌握肝脏内部的解剖结构，才能为肝脏手术奠定坚实基础。这一逻辑推理过程，使他们长久争论的问题逐渐显现出了清晰的脉络。

在大学里，吴孟超、张晓华和胡宏楷所学的有关肝脏解剖的知识，仅限于知道“肝脏内有四种管道，肝分左右两叶”这些基本概念。而对于肝脏内部各血管分支的走向或血流的具体分布规律，几乎找不到任何详尽的资料。他们后来欣喜地发现了 1951 年瑞士专家霍尔茨首次建成肝脏管道铸型腐蚀标本和胆管造型研究方法的提示：理想的肝脏标本，应当通过将不同颜色的液态塑料分别注入肝动脉、肝静脉、门静脉和胆道等四种管道内，等塑料凝固后，再腐蚀掉管道外的肝组织，从而得到一个清晰展示肝内各管道分布与走向的立体模型。

自 1958 年冬起，“三人小组”的成员开始在实验房里工作。全心投入到策划肝脏管道铸型腐蚀标本制作细节的工作之中。

实验需要的人体肝脏从哪里来?

邻近长海医院有一家法医检验机构，经常进行尸体解剖，但对肝脏器官的留存和再利用未给予足够重视。吴孟超带着医院的介绍信前往洽谈，该机构鉴于提出请求的是部队医院，欣然同意，决定无偿提供解剖后的肝脏供其使用。

肝脏标本的制作来源问题解决后，灌注材料的难题又横亘在他们面前，成了新的挑战。他们从多家化工厂搜集了各种各样的塑料颗粒，用多种办法将其液化并着色，再灌注到肝脏相应的管道内。然而，在将成型后的标本放入酸液中腐蚀肝组织时，问题出现了：肝组织被腐蚀的同时，灌注了塑料的管道也软化了，导致标本坍塌。他们尝试了不同浓度和种类的塑料液，以及多种灌注材料，均告失败。他们采用医用X线片溶液的试验也未能幸免。问题的症结究竟何在？无从知晓。毕竟，身为年轻的医生，在20世纪50年代末，他们并非材料科学家，可选用的灌注材料极为有限，对材料与加工工艺的理解也相对匮乏，失败看似在所难免。好在，他们一直拥有不屈不挠的决心，开始研读有机化学和材料学的书籍，渴望从中找到解决问题的线索。

在实验室，吴孟超不是做试验，就是埋头看书查资料，全身心扑到了实验上，希望尽快找到解决的办法。实验室紧邻犬舍，犬吠声声入耳，令人心生烦躁。实验室中弥漫着刺鼻的塑料气味，在闷热潮湿的上海，更令人窒息。况且，他们仨并不是专职搞科研的，白天仍需忙于查房、门诊、手术……科研与实验只能利用晚上或周日的业余时间进行。吴孟超性格倔强，一旦认定目标，无论多难都会坚持到底。孙思邈的名言时常在他耳畔响起："见彼苦恼，若已有之，深心凄怆，勿避险巇，昼夜寒暑，饥渴疲劳，一心救治，无做功夫形迹之心，如此，可为苍生大医。"（译文：看到病人的烦恼，就像自己的烦恼一样，内心悲痛，不避忌艰险、昼夜、寒暑、饥渴、疲劳，全心全意地去救护病人，不能产生推脱和摆架子的想法，像这样才能称作百姓的好医生）。门诊中那些肝癌患者痛苦的面容和渴望生存的眼神，时常令吴孟超心痛不已。在治疗癌症的问题上，国内外普遍认为，只要具备手术条件，就应尽快实施手术。因此，成功切除肝脏肿瘤的关键在于深入了解肝脏的生理解剖结构，掌握肝脏手术技巧，以挽救患者的生命。吴孟超深感焦虑与忧心，救死扶伤的使命感激发了他不懈探索的毅力。半年多来，他仿佛被塑料灌注迷住了心窍，手中操作、口中谈论、心中思考、梦中萦绕，皆是塑料灌注。转眼已是1959年的4月份，春寒料峭的校园里播出了一条振奋人心的喜讯：“4月6日，我国优秀乒乓球运动员容国团，在多特蒙德举行的第25届世界乒乓球锦标赛男子单打决赛中，荣获冠军。”

关于容国团夺得乒乓球桂冠这个消息，人们的反应各异，而吴孟超的注意力却转向了制作乒乓球的材料——赛璐珞。这一想法的萌芽，实则是他脑海中塑料灌注概念“灵光一闪”的结果。他随即联络了胡宏楷，两人上街买回乒乓球，将其剪碎浸入丙酮酸溶液，密封以待其溶解。次日，丙酮酸溶液果然成了一种胶状物，吴孟超取出几滴，在玻璃板上拉出一条直线，不久便固化成形，且形态稳定。这正是他梦寐以求的理想材质！

材料有了，成功却并非唾手可得。在试验过程中，他们果然遇到了一连串未曾预想的阻碍，伴随着接连不断的挫败。但他们深知：这次，他们终于寻到了那种至关重要的材料！

制作精美的人肝脏管道铸型标本（东方肝胆外科医院提供）

在历经两个月的等待后，某个清晨，“三人小组”终于迎来了长久期盼的成功。当他们用清水缓缓冲洗掉被腐蚀处理的肝脏表面时，一件宛如精美珊瑚般的完整肝脏管道标本赫然展现。吴孟超被眼前错综复杂、玲珑剔透的管道编织而成的精细构造深深打动，内心充满了无比的激动与震撼。

通过在赛璐珞中预先调入了四种不同的颜色，并分别注入肝动脉、肝静脉、门静脉及胆管之中，缤纷色彩让管道的分布路径一目了然。肝脏内里各类管道的构造，一览无余地展现在面前。这标志着梦寐以求的探索肝脏科学领域的大门已被推开，他们迈进了这道门槛。

截至 1959 年末，“三人小组”已成功制作出 108 件肝脏腐蚀标本及 60 件肝脏固定标本。随着实验技艺的不断精进，他们所打造的“珊瑚”模型愈发精巧细腻，一个个愈发赏心悦目。

这段铭记于心的历程昭示着：吴孟超自踏入肝胆外科领域之时，便矢志于基础理论研究的探索，这成了他日后事业辉煌成就的重要基石。

第三章　一刀切下奇迹的“吴氏刀法”

“五叶四段”论

“三人小组”在吴孟超的带领下，取得了阶段性胜利，但他们并没有满足已有成绩，而是不断探索进取。为了更好地熟悉并掌握肝脏解剖的理论，他们持续制作涵盖不同种类与年龄段的人体肝脏血管铸型标本，并针对已经完成的100余件标本，结合文献资料，精心研究分布于整个肝脏内的肝动脉、肝静脉、门静脉和胆管的各自走向与交织情况，进一步利用三视图详细描绘了各管道的分布图。

自1958年秋天起，“三人小组”正式迈入肝胆外科领域的广阔天地，尤其是当他们制作的铸型标本累积到一定数量后，实验室、办公室乃至宿舍的书桌上，都摆满了精致夺目又形态各异的肝脏标本，供他们每天从不同视角进行细致观察与研究。吴孟超常以笔尖追踪肝动脉、肝静脉、门静脉和胆管的走向，深入分析其管径变化以估测血流量，并探寻它们在肝叶中的分布规律和模式。日复一日的观察和思索，让印象越发深刻。他对肝脏内部结构的理解，经历了从模糊到清晰，再到深入骨髓的熟悉，直至达到了了如指掌的地步。

通过亲手打造大量标本与精细绘图，并深入探察，剖析了近200例覆盖不同年龄段、不同性别的健康个体及肝病患者的肝脏腐蚀与完整实物标本，吴孟超团队对肝静脉回流入下腔静脉的结构形态，肝脏外形、肝脏的分叶分段、门静脉的分支、肝静脉的走向等进行了详尽比对分析，逐渐揭示了肝动脉、肝静脉、门静脉和胆管的走向及其分布法则，清晰认知了正常肝脏的解剖构造。结合临床实践，他们摒弃了以往简单把人类肝脏分为左、右两叶的粗糙且模糊的论断，构建了基于肝脏血管分布和肝内裂隙为基础的全新解剖学观点。这一进步极大地促进了肝脏手术的精准实施。1960 年，他们开创性地提出了正常人体肝脏“五叶四段”的解剖学新见解。经过反复验证与完善，自 1962 年起，他们陆续发表了 *Observation on Intrahepatic Anatomy of Normal Human Liver*、《我国正常人肝内解剖的观察》和《正常人肝内胆管和肝动脉的解剖学观察》等中英文论文，系统阐述了一套人体肝脏解剖学理论。

“五叶四段”论创新性地划分人体肝脏为左外叶、左内叶、右前叶、右后叶和尾状叶，共五个叶；又进一步将左外叶细分为左外叶上、下段，右后叶分为右后叶上、下段，共四个段。这是中国学者率先于国际医学界提出的“五叶四段”解剖学理论的精确阐述。此理论的诞生，为肝脏外科手术确立了至关重要的解剖标识，同时揭示了肝脏内部静脉吻合支的存在，详细剖析了尾状叶的血管解剖特点，并阐明了在肝脏手术中精确处理血管与胆管的技术要领及理论依据。

沈克非教授，来自上海第一医学院（今复旦大学上海医学院），是我国外科学领域的前辈，亦是当时全国医学院校通用《外科学》教材的主笔。沈教授以治学严谨、对学科构建标准严苛闻名遐迩，外界常言其脾气大，令人敬畏。唯独对吴孟超，他展现出温和与亲近。吴孟超频繁向沈老求教并分享学术成果，两人逐渐熟稔。当沈克非得知吴孟超这位新晋学者对肝脏解剖持有的独到见解与创新理论后，大为赞赏，认为这些理论极具实践价值。

1960 年 6 月，于河南省郑州市，中华医学会举办了第七届全国外科学术会议，沈克非教授为吴孟超争取到了一个参会名额，并催促尽快准备论文，以便作大会报告。吴孟超与胡宏楷、张晓华扎进实验室，吃住都在里边解决，“足不出户，手不离活”，整整一周时间，昼夜无间地梳理实验资料，对实验结果再三琢磨、反复推敲，并重新核定数据。在总结既往经验的基础上，提炼出“五叶四段”理论，并完成了《我国正常人肝内解剖的观察》的论文，由吴孟超出席大会，代表“三人小组”作报告。

吴孟超身着军装，向与会专家报告了“三人小组”的研究成果，并创新性地提出肝脏解剖理论：基于对中国人肝脏解剖数据的详尽分析及规律总结，通过大量制作肝脏铸型标本和无数次的实验探索，我们认为，正常人的肝脏解剖按内部血管走向可分为“五叶六段”，在外科临床实践中，“五叶四段”的划分最具应用价值……

吴孟超发言时，语气谦和却充满自信，声音洪亮又坚定，论述全面，数据详实，逻辑严密，条理井然，在场的专家们频频点头，又不免疑惑，“这位发言者来自哪里，竟有如此独到的见解？”翻阅了名册，才知道是上海第二军医大学第一附属医院派出的代表——吴孟超。这位年轻的报告者，提出的“五叶四段”肝脏解剖理论颇为成熟，且富有洞察力。这自然得益于团队深厚的解剖学理论基础和大量标本制作的积累。吴孟超提出的新理论引起了专家们浓厚的兴趣，并引发了热烈的讨论。

吴孟超所提交的资料与数据，经由专家的一系列严谨比对、深入分析以及细致核实后，被一致认定为我国肝脏解剖领域的一项重大进展，是一项蕴含极高临床实用价值的创新性成果。

吴孟超第一次作学术报告，大获成功。这也是他撰写的第一篇学术论文，得到了专家的一致赞许。自此，他的名字与肝脏“五叶四段”的解剖理论不可分割地联系在一起。

“五叶四段”理论为肝脏手术奠定了坚实的解剖学基础，一直沿用至今。实践表明，该理论准确无误且易于操作，成为我国肝脏手术成功的关键所在，并为后续探索提供了理论支撑与技术保障。这是吴孟超在肝胆学科领域取得的第一项基础理论研究突破，使他深刻认识到应从基础理论入手“攻克肝癌”的合理性与必然性。

第七届全国外科学术会议，让吴孟超获益匪浅，特别是在学术交流和人际网络的构建上，收获了丰硕成果——他得以结识了我国不少外科界如雷贯耳的知名前辈，诸如著名心胸外科吴英恺教授、消化外科曾宪九教授、泌尿外科吴阶平教授、普通外科黄萃庭教授……这些前辈师长为吴孟超肝胆外科事业的发展提供了不同程度的指导与帮助。这体现了吴孟超能谦虚向前辈专家学习，能处理好“传承与创新”的做人做事做学问的成功之道。

多年的实践表明：“五叶四段”理论为肝脏手术奠定了解剖学基础，长期指导着国际上最大系列肝脏手术的施行，并为肝脏新手术的探索（如肝脏尾状叶切除术、肝癌局部根治性切除术、肝癌根治术等）提供了理论依据和技术保障。“五叶四段”理论也成了我国高等医学院校教材《肝脏外科学》《肝病治疗学》《黄家驷外科学》等专著的经典内容，被广泛引用并传承。在中国肝脏外科学的发展历程中，“五叶四段”理论堪称里程碑似的成就，见证了肝脏外科领域的长足进步。裘法祖、黄志强院士在著作中均引用和认同了这一成果。正如业内专家所赞誉：“自 20 世纪 50 年代以来，吴孟超对肝内解剖进行了系统、深入的研究，根据静脉分布提出的分叶、分段概念，已被临床上广泛采用，为开展肝脏外科提供了有利条件。”

在基础理论研究上迈出了关键的第一步之后，“三人小组”在肝胆医学领域扬起了乘风破浪的帆。

以手术检验

“三人小组”精心制作了大量肝脏血管铸型标本，并实施了一系列科学实验，然而“五叶四段”理论的可行性仍需通过临床实践来检验。正如吴孟超经常强调的那句话：“任何医学试验的目的，都是为了满足临床的需要。”

“五叶四段”理论的准确性，需以其能否满足临床实践的需求为衡量标准。

1960 年初，第二军医大学第一附属医院外科收治了一例女性肝癌患者。询问病史并做了化验和各项检查后，吴孟超确认右肝叶上长了恶性肿瘤。经过科室讨论，决定为患者实施手术治疗。外科主任徐化民教授与“三人小组”的成员共同策划了一套详尽的手术方案。此刻，“五叶四段”理论即将面临临床实践的严格检验。

3 月 1 日，外科科室计划为该患者执行肝癌切除手术。

手术由徐化民主任亲自操刀，吴孟超、张晓华、胡宏楷分别任一、二、三助手。说吴孟超夜不能寐食不知味一点不为过，他心中像有十五只吊桶打水，七上八下。天刚亮，他便骑车赶到了医院。与往常一样，他又是最早到科里的医生。

手术室弥漫着紧张而忙碌的气氛。医院领导对此次肝癌切除手术非常重视，视其为验证“五叶四段”理论正确性的关键一战。关乎吴孟超带领的“三人小组”提出的肝脏解剖新理论，能否解决术中大出血的问题。为此，医院配备了强大的手术团队，麻醉师与护士都经过精挑细选，还调用了最好的手术器械和设备，院长亲临现场指挥。麻醉科、血液科、心内科和负责手术的外科医生都进入术前准备状态。时针指向上午九点，手术开始。此时，主刀医师徐化民主任做了一个出人意料的决定，他向站在对面的第一助手吴孟超轻轻点头。把主刀的位置让了出来，自己退居助手之位。无需多言，一切情感尽在这无声的动作之中。手术室内静悄悄的，每个人都知道那把柳叶刀所承载的分量，也完全能够领悟这位大名鼎鼎的外科主任“让刀”背后的深意，是对吴孟超“三人小组”的支持和托举。这个决定源自于深刻的理解与信任，让理论的提出者得以亲手实践，验证其正确性。

吴孟超团队开展术前讨论（东方肝胆外科医院提供）

吴孟超当然懂得这份信任的重量。

这件事，让在场所有人都被震撼，他们向徐化民教授投去敬佩的目光，也对吴孟超能够沉稳地勇挑重担由衷欣赏……

此情此景，由不得吴孟超迟疑，他目光坚定，手执柳叶刀在病人腹部划下了第一刀。他对肝脏的构造及其血管走向已经了如指掌，正所谓知己知彼，他的手像是可以看到每一个细节，完全清楚该从什么地方下刀，从什么部位剥离。他每一个动作都如同行云流水，游刃有余。接下来的一系列步骤：开腹、探查、分离、切除、止血、结扎、冲洗、检查、缝合……各个细节都有条不紊，没有一个多余的停留，每一步都干净利索，绝不拖泥带水，手术过程中，吴孟超的注意力高度集中，却又分明听到脑海中有一个熟悉的声音响起："医本仁术，治疗病人就犹如将他们一个一个背过河……"恩师裘法祖经常强调的话语，已经融入吴孟超的思想里，时时指挥着他的行动。三个小时后，吴孟超缝完了最后一针，手术结束。检查病人的脉搏、血压与呼吸等生命体征，一切正常。

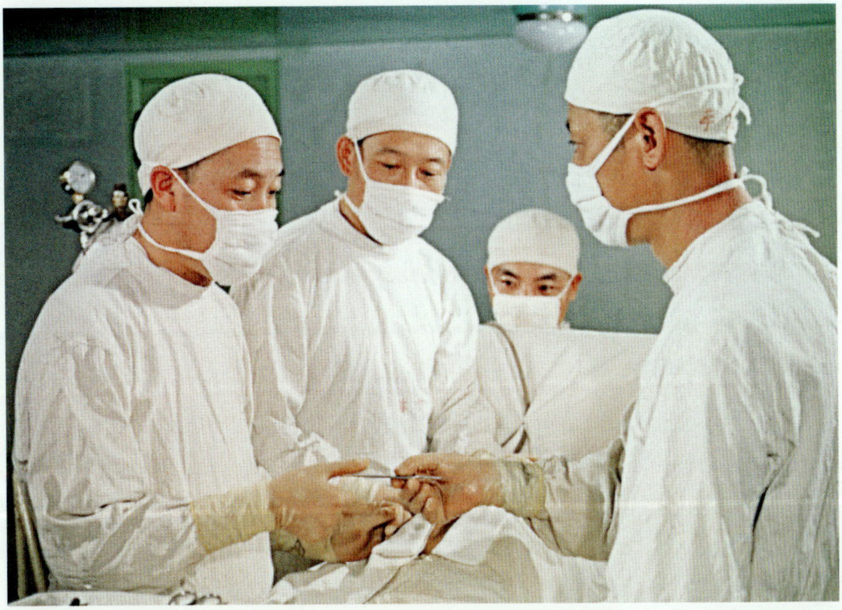

徐化民主任让吴孟超当主刀（东方肝胆外科医院提供）

手术成功。徐化民教授眼含笑意，向吴孟超竖起了大拇指，领导和同事也都纷纷过来，为手术的顺利完成向主刀的吴孟超表示祝贺。

年轻军医陈汉也在现场，他对这次手术作了认真而详尽的记录，他在本子上清楚地写道：这是本院成立以来首例成功的肝癌切除手术。

陈汉是 1957 年从北京协和医学院毕业后分配到第二军医大学第一附属医院的。他的学科基础扎实，英语、日语相当棒，学习好，还长得一表人才，整个人里外都透着一股优雅潇洒的协和风度。他来到院里，许多部门都想要他。吴孟超是行动派，先下手为强，把陈汉抢到了他的科研团队。“三人小组”成立后，陈汉跟着吴孟超做了不少基础性研究工作。从那时起，吴孟超和陈汉的关系越发密切，既是同事又是好友，两人经常促膝长谈。

手术后，从第一晚开始，就由他与吴孟超共同守护着这位肝癌切除的病人。七天后，病人转危为安。

陈汉在《船上的两盏明灯》一文中，生动细致地描述了那几晚与吴孟超守护病人时的感受：记得早年进入肝胆外科，共同守候着一位重危病人，当病人转危为安时，吴孟超教授曾语重心长地对我说出了这样一个令人难忘的比喻，“不瞒你说，我从来没有什么秘诀，我也没有什么成功，只是勤思考多动手而已。不过，我倒始终有一种感觉，人的一生好像是一艘航行在大海中的船，应该有两盏灯，一盏在船头，另一盏在船尾。船尾的灯只能照亮后面的波浪，这就是经验；而船头的灯才能照亮前进的航程，那就是知识与创新。如果既有不断积累的经验，又有丰富的学识和创新的理念，那就能成为一名优秀的外科大夫。”

吴孟超信手拈来的比喻，形象地说出了一个哲理，使陈汉医生豁然开朗。他本就悟性很高，立刻想到，这何止是在医学上，在人生的各个方面，“两盏灯”的比喻也都是恰切的。后来，陈汉确实成了一名优秀的外科大夫，也成了吴孟超最得力的助手之一。

那位女性病人，接受了吴孟超团队成功的手术治疗和术后的精心护理，迅速恢复健康，三周后顺利出院了。她以健康的身体回到工作岗位上参加劳动，术后整整活了六年。对于第二军医大学第一附属医院而言，这次肝癌切除手术的成功，实现了“零的突破”，赢得了全国各大媒体的广泛报道。这也是吴孟超首次主刀并取得成功的肝癌切除手术。吴孟超和他的“三人小组”崭露头角，成为医学界“打破肝胆禁区”的先锋队伍。尤为关键的，他们开创的“五叶四段”理论获得了临床成功的验证。日后，这个病例还被收入了相关的科教电影中，生动地再现了当年的情景。肝脏“五叶四段”解剖理论成为依据，至今仍然指导着世界上数量最多的肝脏手术。

常温下间歇肝门阻断切肝法

吴孟超主刀为病人切除了右肝叶上的肿瘤，实现了第二军医大学第一附属医院肝癌手术“零的突破”，之后，他又接连做了近 10 例肝脏手术。长期实践，他对肝脏内血管、胆管等管道走向烂熟于心，下手又稳又准，每一例手术都很成功。但是，吴孟超并没有多少胜利的喜悦，因为他给这些病人手术时，采用的都是低温麻醉法。所谓低温麻醉法，就是将病人麻醉后用冰来降低其体温直至 32℃以下，再行手术。手术过程中需要不断用冰水降温，以维持低温状态。即便手术技术高超，手术还算成功，仍然难以避免病人在手术台上大量出血。显而易见，这对术后病愈带来了不利的影响。

肝脏是人体最重要的器官之一，担负着物质代谢、消化、储藏、解毒、凝血等大量功能。肝脏内血管密布，动刀就会涌出大量鲜血。如果是巨大肝脏肿瘤或已侵袭肝门区、下腔静脉的肿瘤，就更麻烦。即使肿瘤较小，也首先必须考虑出血问题，不能确保妥善解决的话，就只能放弃手术。如此一来，面对肝脏手术，首先必须解决术中肝脏出血的难题，否则技术再高超，病人也难免因大量出血而导致死亡。

手术中的出血确实是一个亟待解决的大问题。

吴孟超又开启了他的探求之路。怎样解决肝脏手术中的出血与止血问题呢？说起来很简单，只需将进入肝脏的门静脉和肝动脉（医学上称为第一肝门）控制住就行。可怎么控制才是恰到好处？第一肝门阻断时间一长，肝脏会因缺血而坏死。时间过短，手术做不完。

吴孟超的执拗，也来源于他总是乐观地相信，方法总比困难多。他查阅了当时（20 世纪 60 年代初）能收集到的有限的国内外文献与资料，发现世界上公认的最常用的切肝法也是“低温麻醉法”。手术中以阻断肝门来减少出血，体温较低时肝脏才可耐受较长时间的肝门阻断，不致引起缺血性坏死，手术时需对病人施行物理降温。为保持病人的低温状态，手术中必须间断性地往腹中置入冰水。“低温麻醉法”的主要依据是：肝脏缺血一旦超过 20 分钟就会引起坏死，只有在低温状态下，肝细胞才能经受较长时间的缺血。“低温麻醉法”在欧美国家，也被医生们普遍使用，被公认为“经典切肝法”。难道只有这一条路可走吗？吴孟超不相信，一定还能找到另外的出路。

吴孟超陷入了深深的思考，难以避免术中大量出血，对术后愈合影响大，这怎么能称为“经典”？在一本介绍“低温麻醉法”的书上，他打了一个大大的问号。“低温麻醉法”的不足之处显而易见，操作麻烦，病人要遭受极大的痛苦，最重要的是很容易造成感染和并发症。

吴孟超是军医，思考问题的角度不同，第一要实用，第二要保证在战争环境下也能实施。在野战条件下，哪来冰水或冰块给伤员降体温？看来，对于战场上的肝外伤战士来说，被称为经典的“低温麻醉法”基本无用。难道真的找不到一种可以在常温下安全进行肝脏手术的方法吗？

肝脏血管密布，碰一下就会血流不止，手术的关键，成了常温下如何止血。吴孟超苦苦思索着，必须找到一条常温下进行肝脏手术的好办法。他相信，做就有找到方法的希望。除了工作时间，他利用大量休息时间，翻阅相关书籍，查找各种资料，他坚信路在脚下。做，坚持下去，行进的路上，也许就会在经历山重水复后，遇到柳暗花明。

要改弦更张，要另辟蹊径，要找到一条更适合常温下手术的麻醉法，这个决心已定。然而，路在何方？必须更加努力！

此刻的吴孟超，除了工作时间全神贯注地面对病人，其余时间完全一副心不在焉状态。心有所想，夜有所梦，阻断肝门，在梦中也没让他消停。看到什么场景，他都要停下来琢磨琢磨，阻断肝门的方法，是不是也能在日常中被发现？

吴孟超的性格决定了他知难而上的坚韧精神，凡是发现了问题，他就非要解决不可。幸运总是更愿意眷顾那些努力的人。这毋庸置疑。一天清晨，吴孟超像往常一样去洗脸，水龙头打开，水流出来了，关上，水一下子停住。打开，关上……看着水流出来，又看着水停了，吴孟超像是被施了定身法，半天没动，脸都忘了擦。猛然间，他一拍巴掌，高兴地叫起来：“我找到了！我找到了！”吴佩煜被吓了一跳，走过来问：“你找到什么了？”吴孟超笑呵呵，“我找到止血的好方法啦！”

吴孟超现身说法，立刻把想到的办法演示给妻子看，“手术时，可以在肝门处扎一根橡皮带，切肝时把带子扎紧，就像把龙头关上，血流被阻断。算准时间，放松带子，相当于把龙头打开，对肝脏恢复供血。扎紧阻断血流，松开恢复供血。这样间歇性地操作，肝脏不会坏死，手术可以正常进行，出血能够得到控制，病人再也不必泡在冰水里了。”

吴孟超激动得连饭也没吃，心急火燎地赶到科里，把他的想法告诉同事们。接着和张晓华、胡宏楷一起，又钻进了“三人小组”的实验室。

想到就干，他们在实验犬身上开始进行一系列对照手术，用来验证吴孟超的推想。拿来一根橡皮带扎住犬的肝脏血管，时间分别控制在 10 分钟、15 分钟、20 分钟、30 分钟。四组实验结束，时间不同，结果不同，有的成功，有的失败，但同样达到了出血少的目的。他们找来体重 10~15 千克的 15 条杂种犬，分为 A、B、C 三组进行实验，每组 5 条犬，A 组行肝门阻断 20 分钟，B 组 30 分钟，C 组 45 分钟。术前，前肢动脉切开插管测动脉压，颈外静脉切开插管测中心静脉压，肺动脉插管测肺动脉压。并在实验过程中观察：阻断前、阻断中以及松解后 5 分钟的动脉压、中心静脉压、肺动脉压的变化；术后 1、3、7、10 天抽血测定肝肾功能、血清酶、蛋白电泳；取肝组织做病理检查，观察术后动物神态、饮食、活动、大小便情况，以及术后 10 天动物肝、肾、心、肺、小肠等的情况。一系列实验比对，让他们发现，在 15 分钟内完成手术，将血供阻断应该是较理想的。此后，在人体手术中也证实了，15 分钟确实是肝脏切除手术血流阻断的理想时限。

“三人小组”反复进行动物实验，拿到了大量翔实数据，并且进一步证明了，只要把握好阻断的时限，即便在同一犬上反复施行“阻断—接通—阻断—接通……”的步骤，肝脏也不会因缺氧而坏死，多次阻断，足以累加充足时间，哪怕是施行复杂的肝脏手术，也有了基本条件。在动物身上的实验成功，建立了一种可行模式，在人体上实施，也会取得同样的效果吗？医学需要探索精神，更需要严谨的验证。“实践才是检验真理的唯一标准”，科学理论和数据，只有落实到具体的操作上，才能得到有效证明。吴孟超一直秉持的，就是这种实事求是的科学态度和精神。在院里的外科学术会议上，吴孟超将自己的创新思路以及从动物实验中获得的数据，进行了详细介绍，以此说服同仁们，希望得到理解与支持。

吴孟超领衔的“三人小组”，以踏实严谨的作风，在肝胆外科基础理论和临床实践上接连不断地创造佳绩，这是最好的证明。更何况，他们对事业孜孜以求的精神，早已在科室里留下了好印象，况且，他们拿出的方案切实可行，且有强大的说服力。动物实验的数据合理且详尽，理所当然该做人体实验了。各位专家在全科室学术会议上反复讨论研究，将吴孟超提出的新想法做了多方面的探讨，进一步把方案更加完善后，一致同意进行人体实验。为此，科里做了充分准备，吴孟超考虑再三，选择了一位肝脏肿瘤体积较小的病人，做常温下间歇肝门阻断的肿瘤切除试验性手术。

吴孟超是一名军医，手术台就是战场。他身上兼有信仰赋予军人的本色，又有作为一名医生崇高的使命感。面对着病人，他沉稳、内敛，又从容镇定。从麻醉、开腹，到探查、分离……手术有条不紊地进行着，平日里就对工作一丝不苟的吴孟超，对待这台手术更加谨慎认真。第一次试验在常温下进行的肝门阻断切肝能否成功，要靠这台手术来检验，他相信自己的判断，他必须保证手术稳步推进。终于到了切除和剥离肿瘤的时候，他坚定地下达指令：“肝门阻断，计时开始。”仿如听到冲锋的号角，手术室里所有的人都严阵以待，见证着这场对新方法新理论的检验之战！橡胶带扎紧肝门，吴孟超手起刀落，开始切除肿瘤。瘤子所处位置突出，切除瘤体和处理血管不复杂。十分钟，切除已经完成。把阻断肝门的橡胶带松开，让肝脏恢复血供。大家不由长吁一口气，很显然，常温下进行的肝脏手术，果然收到了预期效果，病人在整个手术过程中失血大大减少。手术成功了。吴孟超紧张的神经彻底放松下来。实践证明，术中出血量减少，可以有效加快术后病人的康复进程。不只如此，常温下利用间歇肝门阻断法做手术，免去了烦琐的冰水浸泡过程，让病人承受的痛苦得以减轻许多。

从苦心孤诣到灵光乍现，从合理推想到实验探求，从数据的积累到临床的应用，每一步都走得稳妥，都在走向成功。吴孟超领衔的科研团队又解决了常温下进行手术的难题，肝门阻断法，使肝脏切除手术在创新之路上又迈出了一大步。“经典”的低温麻醉法不经典，“常温下间歇肝门阻断法”更加便捷安全。直面挑战，敢想敢做，才能有突破。吴孟超用自己的行动验证了一句话：只有向新事物，向别人做不成的事情发起挑战，人生才有价值。

病人的情况千差万别，作为一名医生，只能根据不同情况，灵活应对。这是一个克服困难的过程，也是一个让自己得到锻炼和成长的过程。吴孟超一直不缺少面对难题的勇气，更有一颗支撑这种勇气的强大心灵。某一天，吴孟超在面对另一台手术时，遇到了一个不大不小的难题。病人的肿瘤长在紧贴下腔静脉处，位置不好，瘤体很大。这都为顺利实施手术带来了困难。按以往切除的速度，15 分钟远远不够，凭经验，吴孟超估算，恐怕要三四个 15 分钟才能完成。也就是说，那个阻断血液流通的橡胶带，要反复系紧又松开，病人身体本来就虚弱，能否经得起这样的折腾还是未知数。一遍一遍实验，推想、疑虑、观察、发现、解惑，吴孟超对在实验犬上成功进行肝脏血供“重复阻断与接通”手术胸有成竹，但在动物身上的手术成功，能够在病人身上获得同样的效果吗？面对手术台上躺着的病人，一向胆大心细做事稳妥的吴孟超想：必须全力以赴，保证手术成功。手术顺利地进行着，要切除和剥离肿瘤了，他果断地发出指令，用橡胶带扎住肝门，切除手术进行 15 分钟，他将被切断的血管结扎好，松开止血带，肝脏的正常部分得到充分的血供，避免了因缺血发生坏死。供血的间歇，吴孟超与助手们商议接下来将切除和剥离的部位，提前预想将会碰到哪些管道，需要采用什么办法应对。血供完成，再将橡胶带扎紧止血，继续未完成的切除与肿瘤剥离的过程。手术有条不紊地进行着，止血带扎紧与放松，血供与止血交替进行，手术终于顺利结束。这么高难度的手术，补充三袋血（600ml）就取得了成功，这样的成绩，简直刷新了医学史上的纪录，创下了新的纪录。

常温下切除复杂肝脏肿瘤手术的成功，又一次让吴孟超在全国乃至世界外科学界引起了轰动。

实践，用事实证明了创新方法的可行，此后，吴孟超又接二连三做了一系列常温下切除复杂肝脏肿瘤的手术，都获得了成功。大量的临床实践验证，让肝门阻断切肝法屡试不爽，吴孟超对自己创设的这一方法理解得更加透彻，在临床上运用起来，也越发游刃有余。他恰如其分地把这种方法称为“常温下间歇肝门阻断切肝法”。吴孟超在肝胆手术技术上的创新再获佳绩！怎么能不让他激动？

但吴孟超总是对自己要求更多，在技术上追求卓越，希望精益求精，给肝脏病人送去更多福音。

肝门阻断法，对一般肝病肿瘤效果良好，但对于肝硬化病人来说，却有一些难题亟待解决。长时间阻断肝门血管会加重肝细胞损害并导致不良的预后，尤其对严重的肝硬化和梗阻性黄疸病人，禁止长时间阻断肝门。大量的临床事实证明，一般肝病患者的肝门阻断限时在 15~20 分钟，对术后恢复无明显影响。如果阻断更长时间，能否保障手术顺利进行？安全的肝门阻断时限问题还尚未解决。据调查，我国 85% 的原发性肝癌合并肝硬化，且多是长期肝炎后的肝硬化，全肝有弥漫性损伤，伴有明显的肝纤维化甚至部分肝萎缩，门静脉高压和代偿性肝动脉血流增加，手术断肝时的出血远较正常肝组织多。吴孟超是个知难而上的人，在他的字典里，从来没有退缩这样的词。为了得到切实可行的数据，他又开始不断地思考、观察、钻研、尝试。解决肝硬化时的肝血流阻断术，不只对于吴孟超来说很重要，更具有特殊的临床意义。

缘于大量手术实践，吴孟超在论文里系统阐述了血流阻断后肝功能的变化，提出非肝硬化者肝门一次阻断 10~15 分钟，肝硬化者 10 分钟以内是安全的时限。

对于肝脏手术的安全施行，尤其是对于我国肝癌病人大多数合并肝硬化这一特点，肝门阻断法具有重要的临床意义。作为一项方便实施，智慧又完整的技术，更严格地说，作为一项肝脏医学基础理论研究的创新与突破，常温下间歇肝门阻断切肝法至今仍被认为是肝胆手术中最简单易行方便操作且安全的止血方法，获得了广泛地认可与常规的应用。

吴孟超一直都是一个行进在路上的人。从来不会躺在功劳簿上休息。20 世纪 70 年代初，吴孟超又开创了“常温下全肝血流阻断”技术，使我国高难度肝脏手术止血技术得到了开拓和发展。之后吴孟超又发表了《常温下全肝血流阻断动物实验研究》《常温下全肝血流阻断切肝术》等有影响的论文，让更多医学界同仁了解到这项技术，并能够有效地实施到手术中去。

一转眼，几十年过去了。2000 年，日本肝癌研究会主席、国际著名肝脏外科专家幕内雅敏（Makuuchi）教授在布里斯班召开的国际肝胆胰会议上所作的专题报告中称，“常温下间歇肝门阻断技术适用于所有类型的肝切除术”。

由于熟练掌握了肝门阻断技术，到 20 世纪 80 年代，吴孟超和他的团队手术成功率接近 100%。创新的肝门阻断止血法，得以在我国肝胆外科领域推广，不止如此，随着学术推介活动，这项技术走出了国门，在世界肝胆外科学界也声名远扬。

出版于 1996 年的《中国科学院院士自述》中，吴孟超说：……有了对肝脏的感性认识，掌握了肝脏解剖的第一手资料，我们才有了常温下切肝的设想。“常温下间歇肝门阻断切肝法”“常温下无血切肝法”经动物实验证实后，1960 年开始应用到临床，效果出奇的好。手术简单了，出血也少了，手术时间也缩短了……以后在德国、美国介绍时，他们也认为这个方法好。关于肝脏动脉结扎和栓塞、二期手术等方法，也是在这个基础上成为可能的。

“常温下间歇肝门阻断切肝法”自问世以来，一直被学界认为是最简单、最有效、最安全的方法。谁能想到，吴孟超实现肝门阻断所使用的器械，是一根可反复消毒使用的细橡胶带。看似简单的医疗器械，效果很好。病人受益，还能节约成本。不论何时何地，吴孟超都在以一位大医的情怀要求自己，为病人造福，尽量减少他们的经济负担！

医者无国界，吴孟超的创新医疗理论和实践，确实造福了全人类。

吴孟超成绩卓著，在1960年被评为总后勤部社会主义建设积极分子，并且再一次获得第二军医大学先进工作者的光荣称号。他率领的“三人小组”所开创的一系列理论与临床的科研成果，促成第二军医大学第一附属医院正式成立了肝脏研究实验室，人员配备更加合理，实验条件大为改善。

中肝叶切除手术

首例肝癌切除手术成功，让吴孟超又有了新的发现，他决定将科研的触角伸向新领域——开展肝叶切除后肝脏代谢改变的研究。为病人着想，从病人的利益出发，一直以来，都是吴孟超奉行的准则。从不肯向困难低头的吴孟超，又一次坚定地站在了新的难题面前。术后肝昏迷是一直困扰着他们的难点，临床上抢救肝昏迷病人的成功率很低。

“三人小组”经过讨论，一致认为：肝昏迷是肝脏代谢功能紊乱引起的中枢神经系统的综合病症。找到切入点，他们先在6条实验犬的肝脏上做实验，通过实验操作，摸索清楚手术切除部分肝脏后代谢改变的规律，再分析临床资料，找到提高疗效的措施。列表整理数据，分析数十位规则肝叶切除病人较完整的资料，主要是术前病人情况的评估（包括基本体征、血常规、肝功能、术中发现的肝硬化情况等）以及术后代谢改变状况（肝功能改变、SGP-T及碱性磷酸酶、胆固醇与胆固醇酯、血糖、蛋白电泳改变等指标）。通过整理记录，他们获得了病人几十项主要代谢指标逐日检测的数据，观察并记录其升降变化情况。还将肝脏病人术前、术后的生化指标逐项比对分析，再与实验动物代谢生化的变化比对，分析两者异同，找到规律性。根据需要，他们将实验室的工作与病人术前、术后的系统检查取得同步，对不同情况分别进行处理，观察效果。

基于实验，分析得出结论：影响术后代谢改变的因素很多，如病人术前整体情况、麻醉选择、手术创伤、术中和术后失血、肝脏切除范围、病变性质及术后并发症等，都有可能导致代谢紊乱或延长恢复时间。的确，手术从来不是单纯的一项技术可以解决的问题，术前、术中、术后，各个环节都同样重要，这是一场协同作战才能取得胜利的战役，每一个步骤的改进，都会对提高手术疗效发生作用。

实践出真知，1961 年，吴孟超悉心整理出一些有效预防术后肝昏迷的措施。其中尤为重要的是：病人如果没有患肝硬化，肝脏切除量可以达到 70%，假若病人有肝硬化的现象，肝脏切除量绝不能超过 50%，否则易死亡；手术后 5~7 天处于代谢值低潮期，是代谢紊乱的危险阶段，必须加强治疗和护理的力度。

在发现了正常肝和肝硬化肝术后生化代谢的规律后，吴孟超提出了新策略与实施步骤，使手术死亡率明显降低。

吴孟超领衔的“三人小组”将实验成果应用到临床，肝叶切除术的成功率由 85% 提高到 90%，这意味着在 100 位接受手术的病人中，可以多救回 5 位病人的生命。

多例肝脏切除手术成功，“常温下间歇肝门阻断切肝法”开始在全国推广。吴孟超成了肝胆外科领域知名的“一把刀”，成了外科学界少壮派代表，是人们心目中医术精湛的“肝胆名医”。不少疑难的肝胆外科手术会诊中，总会看到他的身影。

1963 年 2 月的一天，年轻的吴孟超作为专家，参加了上海某医院的会诊。

肝癌患者名叫陆小芳，是一位农村妇女，病灶出现在中肝叶部位。按通行的治疗方法，需要施行三叶肝切除术。但这样做将切掉一叶好肝，不仅有损病人的身体健康，而且，假如合并肝硬化，将会引起严重的代谢障碍，可能危及生命。矛盾出现了，怎么解决?

中肝叶所处的位置，极其重要，密布肝内很多重要管道，包括肝动脉、肝静脉、门静脉以及胆管，手术犹如密林中探路，难度不言而喻。但所有的医生也都知道，最理想的方案还是施行中肝叶切除。中肝叶包括左内叶和右前叶。手术的话，会形成两个切面，失血量必然增加。

肝脏手术本就是外科手术中的重难点，中肝叶切除的难度，无疑是肝脏手术重难点中的极致。几位参与会诊的医生面对着 X 线片，都认为中肝叶切除手术太难了，国内没有先例可借鉴。要怎么办，大家都有点束手无策。吴孟超一直沉默着，他在考虑如果自己做这个手术，把握有多少。他一直记得自己的使命与担当，那就是“要把病人一个个背过河去”。思考了半晌，他的话语掷地有声：“这位病人交给我吧！”毕竟，这种手术平时用得上，战时也用得上，是军医更要时时把思考的坐标定位在打仗时。病人才是医生真正的老师，难题当然也要解决。迎难而上，才是吴孟超一直的选择。

吴孟超从来都不打无准备的仗，他能够坚决地接手这位病人，源自于灵魂深处深刻的认同：医道是“至精至微之事”，习医者必须“博极医源，精勤不倦”。除此，医者更是实践的事，关乎一个人最宝贵的生命安全，要想攻克难题，从医者要有严谨的态度、无畏的勇气和扎实的解剖学功底，更重要的当然是娴熟的手术技术。多年的基础理论研究赋予了丰厚的积淀，长年在临床，有丰富的手术经验，严谨的科学态度是一以贯之的坚持。他清楚自己的使命：陆小芳的手术，推着他引导他，把学术思考伸向中肝叶的手术区域。

学术活动是一项旨在探索医学领域新知、交流研究成果、推动理论进步与实践创新的系统性、创造性的活动，探索医学领域新知是学术活动的首要任务。探索医学领域的学术创新是学术研究的最终目标，也是学术的生命力蓬勃不息的根基。不断创新，才能推动不断发展。这位中肝叶肿瘤病人正是一个典型的病例。

中肝叶切除手术的难度大，相应承担的风险大，吴孟超深知自己肩上的担子有多重。试图跨越重难点区域，做从来没有人尝试过的手术，哪能确保万无一失？也许会遭遇滑铁卢。“优秀的人，做事时总会踏实认真、精益求精。他们总能想到别人想不到的点，注意到别人忽视的细节。用心对待每一件小事，不敷衍、不懈怠。”长久以来，吴孟超像是给自己准备了一台“显微镜”，对自己要求极严格，细节关乎成败，他绝不允许自己贸然冲锋。

中肝叶切除是大手术，必须保证病人身体可以承受，需要调养；但肝脏营养丰富了也不行，担心肿瘤迅速增大、恶化，甚至转移，增加手术的难度。吴孟超不断推敲斟酌，制订了时间表，决定春末施行手术。

在一个多月的准备时间里，为确保手术成功，吴孟超做了大量细致入微的工作。立夏前，在第二军医大学第一附属医院外科手术室进行了中肝叶切除手术。

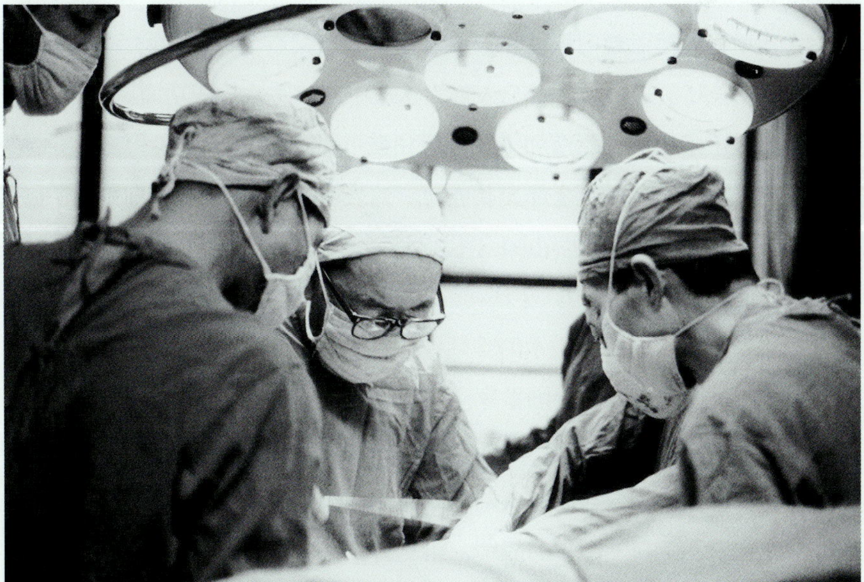

吴孟超（中）正在聚精会神地做中肝叶肿瘤切除手术（东方肝胆外科医院提供）

吴孟超做每台手术前，都要再次细读病人的影像片，这次也不例外。洗手后，他一如既往，仍然是轻松地将手术袍抛起来，双手一举，插入两个袖笼（同事们戏称“吴氏穿衣法”）。扎好腰带，戴上手套，吴孟超跨上专属的20厘米高的垫脚凳，在无影灯下，不慌不忙探出了手里的柳叶刀……

吴孟超神情严肃，动作仿如行云流水，却又分明散发着一种镇定从容的气息，他周身洋溢着安稳的氛围。这份每临大事的气定神闲，传达给每一位同事，大家很快从紧张中走出，进入了状态。主刀吴孟超对中肝叶的各类管道结构和分布状况一清二楚，动刀时手上仿如长了眼睛，什么地方结扎，什么时间阻断肝门，多长时间恢复血供……每个动作都挥洒自如，按部就班有条有理。他全部注意力都在手术上，无暇顾及其他，时间仿如静止，又分明在争分夺秒地过去，平时两小时就可完成的肝癌切除，这次却花了足足六个小时。吴孟超与同事通力合作、密切配合，完整地切下了中肝叶上的肿瘤，顺利施行了首例完整的中肝叶切除手术，即切除左内叶和右前叶。该手术技术难度堪称肝脏外科史上前所未有，攻克了世界肝脏外科领域的重大难题。

手术结束，吴孟超习惯性地查看了监护仪，又看了血压和心率，确认一切正常，才长吁了一口气。每个人都为这次中肝叶手术的成功而欣喜不已。

陆小芳手术成功，更增加了吴孟超和整个团队的信心，同一年中，接连做了三例中肝叶切除术，全部大获成功。这表明吴孟超开创的肝脏外科手术技术已日渐完善。于20世纪60年代促进了全国肝癌切除手术的广泛推广，使我国肝脏手术病死率从60年代初的33%下降至60年代末的4.83%。

吴孟超解决了中肝叶手术的难题，成功施行了一系列中肝叶手术，几乎实现了手到病除的效果。全国数家主流媒体报道了中肝叶切除手术成功的消息。国外不少媒体转载，让西方人对中国肝胆外科另眼相看。中国肝胆外科在短短五年内竟能实现如此惊人的飞跃，堪称难以置信的医学奇迹！吴孟超和他的团队以五年奋发图强的战绩，给了曾作出傲慢断言的日本专家以有力回应。

中国青年报

1964年9月22日　星期二

高举毛泽东思想红旗把革命精神和科学态度结合起来

三个青年軍医勇攀科学技术高峰

多次施行各类型肝叶切除手术成功

1964 年 9 月 22 日的《中国青年报》头版（东方肝胆外科医院提供）

这是吴孟超事业上的第一个巅峰时刻。他也真正体悟到了舅舅那句做“有出息的人”的内涵。吴孟超在事业上的锐意进取，成就了他。他终于用事实强力地回击了当年同济大学医务部主任的话。1 米 62，照样可以在外科干出一番事业，他成了肝胆外科界无可争辩的良医、名医。

吴孟超对“不为良相，便为良医”理解更加透彻。这句话出自宋代名儒范仲淹，意思是说如果不能成为优秀的政治家，那么就应该致力于成为一名医术高超的医生。因为“丞相”“医生”这两个职业都是拯救天下苍生所系。所以古代忠厚的读书人，常常怀有这样的抱负。

吴孟超切实践行了高尚品德、淡泊名利，医术高超、能起死回生，以及拥有独到学术见解、著书传世的“良医三善”，同时也达到了裘法祖老师一贯推崇的“会做、会说、会写”的“良医”至高境界。

第四篇

在科学道路上

1963 年 9 月，吴孟超带着论文《肝叶切除术后代谢改变的动物实验和临床观察》来到北京，参加第八届全国外科学术会议，并作主题发言。1965 年，中国人民解放军总后勤部因吴孟超突破中肝叶手术“禁区”的事迹，给他荣记一等功。

同一时期，他进行了有关肝癌生物病理学特性的研究，证实肝癌存在单克隆和多克隆两种起源，多克隆起源者再手术能获得与初次手术相仿的疗效。

第一章 上海来了个“赤脚医生”

1969 年夏天，随第二军医大学由上海迁往西安的吴孟超，自学中医，当上了“一根银针一把草”的赤脚医生。1971 年春，吴孟超受邀进京，协助中国人民解放军总医院培训阿尔巴尼亚专家。1974 年，吴孟超向医院党委申请成立独立的肝胆外科获批。1975 年，吴孟超神奇地一刀切下了一个医学史上的奇迹——迄今为止国内外所报道的最大的被切除的肝海绵状血管瘤，标志着“吴氏刀法”已达到了炉火纯青的境地。1976 年，吴孟超率先在上海进行了 18 万人次的肝癌普查，开展肝癌早期诊治的课题研究。他同时致力于探究肝癌与肝炎之间的关联性，以及肝癌术后复发应对策略等研究领域。他坚信，唯有通过深入的基础理论研究，从根本上揭示肝癌的成因，才能最终战胜肝癌……

在科学探索的道路上，不断有问题涌现，吴孟超执着前行着。

“吴氏刀法”实践中

1964 年，吴孟超担任第二军医大学副教授之职，并身兼长海医院外科主治医师、党总支副书记及支部书记重任。彼时，他作为肝胆外科领域的知名专家，在社会上享有盛誉，且参与拍摄了科普教育影片《向肝胆外科进军》。

1966 年，随着“文化大革命”的兴起，吴孟超被造反派揪出，并被冠以“反动学术权威”的帽子。加之他是马来西亚归国华侨，更背负上了“里通外国”的嫌疑。

第二军医大学停课闹革命，“三人小组”被勒令解散。医院突出政治，医务人员大多“抓革命”去了。吴孟超作为“反动学术权威”，只能留在医院里“促生产”。他天天值班，倒正好遂了心愿，利用这个机会多搞业务，积累更丰富的临床经验。家里的事不用吴孟超费心，他索性把被褥搬到了医院。吃住在外科病房，一个月难得回家一次。只要病人找，他来者不拒，医者仁心，他对待所有病人都像春天一样温暖。吴孟超每天热情接诊，认真检查，大到肝脏、胃、乳腺、甲状腺的切除，小到疝气、阑尾的手术，遇到什么病症治疗什么病症，遇到什么手术，就做什么手术。可以说是医术精湛，手法娴熟，治疗过程流畅。

正是这一系列极具挑战性的大量手术锻炼，促使“吴氏刀法”在实践中日益精湛，游刃有余。

第二军医大学有几位越南来的留学生，把汉语说得滚瓜烂熟，沟通和交流完全不成问题。他们本来是跟着专门负责培训留学生的带教老师学习的，可是这个时期，带教老师有的关进了牛棚，有的去参与“造反”。留学生每天能够看到的，是外科病房的一位矮个子住院医师，他仍在勤勤恳恳地劳作，他就是总在低着头忙碌的“反动学术权威”吴孟超。海外学子久闻吴孟超是肝脏外科领域成就斐然且极具开创性的权威专家，都渴望能跟他习得几分真传。

吴孟超悉心传授，指导他们进行如阑尾切除等基础手术。遇到紧急及危重病例时，学生们也有机会近距离观摩他手术，正如他早年师从裘法祖教授那样。数月来，这批留学生跟随吴孟超收获颇丰。尤为突出的是一位勤奋的越南学生，他甚至搬至病房与吴孟超同住，以便更深入地学习，同时也无形中为吴孟超筑起了一道保护屏障。鉴于吴孟超身边时刻围绕着来自“同志加兄弟”国家的留学生，那些造反派便难以实施过激行为。在此期间，吴孟超庆幸自己得以继续从事医疗工作，且无形中为自己营造了一个相对安全的工作环境。

无数手术的历练并未使吴孟超垮掉，反而让他的手术技巧愈发精湛。他凭借手中的柳叶刀，成功摘除肝胆肿瘤，为众多患者解除了病痛，将他们从死神手中夺回。这份神圣的职业，功德无量，带给他满满的幸福与满足。在手术室缓缓流逝的时光里，在人生的匆匆步伐中，他深切地感受到每一个生命的欢愉与沉重。沉思之际，他宛如智者，剖析复杂世态，却始终秉持慈悲之心对待每位病人。“生命就像一条宁静的长河，让我练就了一身功夫，要努力把病人一个个都背过河去……”

1967 年国庆节前，吴孟超接到中国人民解放军总医院来电，请他即刻赴京参加会诊。吴孟超是去为高等军事学院一位姓由的教研室主任治病的，他曾经为那位老同志看过诊，了解病情。之后，吴孟超在中国人民解放军总医院待了一段时间。

1968 年 2 月，全国学习毛主席著作积极分子代表大会在北京召开，各地各单位都选出了代表。吴孟超在北京，长海医院便推选他成为正式代表参加会议。这是一项很高的政治殊荣，他做梦也不曾料想能获此良机，这是否预示着这位“反动学术权威”的政治境遇将迎来某种转变？吴孟超满怀喜悦地出席了盛会，并难得地与毛主席等党和国家领导人留下了珍贵的合影。

自北京归沪之后，吴孟超旋即受邀前往福建参与一系列的会诊工作。返沪时间不长，第二军医大学及其附属的各家医院实行军事管理。依据上级指示，军队所属各单位着手开展正面引导教育，禁止军医大学学子再赴医院串联，自此，运动初期纷乱的态势得以逐步改善。

成“赤脚医生”

1969 年夏天，中国人民解放军总后勤部所属的三所军事医学院校调整驻地，第二军医大学由上海迁往西安第四军医大学校址。

吴孟超一家服从命令听从指挥，随同医院搬去西安。

离开前，吴孟超处理了家里的用具，长沙发仅卖了 5 元。没有卖掉的是书籍，全部装箱运往西安。

抵达西安之际，吴孟超即刻投身到第二军医大学正热烈进行的清除阶级队伍的革命活动中。此外，值得一提的是吴孟超深厚的向党之心。自成为党员的那一刻，吴孟超就将共产党员的身份看作自己极其重要的政治身份。尽管其党籍事宜一度被延迟处理，他始终按照共产党员的标准严格自律，并坚持每月向党小组长交纳党费。在吴孟超看来，是否交纳党费，或是否被允许交纳党费，是衡量一个人是否（或是否被认可为）共产党员的关键标志。直至 1970 年 12 月，吴孟超的党组织生活才得以恢复。

当时流行派遣身着白大褂的医生走出医院，化身为“一根针一把草”的“赤脚医生”。吴孟超迅速调整自我，积极适应新角色。他内心深处渴望深入了解生活在社会底层的农民的生活状况，并热切希望为他们缓解病痛贡献自己的力量。然而，要从一位专攻高难度肝胆外科手术的专家转变为赤脚医生，绝非易事。为此，他精心挑选了几部中医典籍刻苦研读，并且谦逊地向当地的一些赤脚医生求教，学习他们的诊疗技巧、风格及流程。不久之后，吴孟超便与当地的赤脚医生们融洽相处，其中医技能也有了显著提升。他不仅赢得了百姓的信赖，还被誉为“上海来的赤脚医生”。

11 月份，第二军医大学招收了来自各大军区和军兵种的 1 096 名学员，分编 2 个大队、8 个中队，经过一个月的集中教育和训练，年底，全校 1 400 多名师生分批拉练到陕西省 8 个县 24 个教学点去开门办学，吴孟超被分到陕北队，到韩城地区边教学边访贫问苦。

吴孟超和几位年轻人常常出门，一走就是几十里，走村串乡，访贫问苦。年近五十岁的吴孟超累得筋疲力尽，却精神饱满，从中可以了解农民的疾苦，有机会施展所长为大家服务，他很知足。吴孟超以身作则，言传身教，让随同的年轻人潜移默化地受到了真正的医德与为人之道的熏陶。

某天，一位腹部剧烈疼痛的病人被人搀扶着来找吴孟超诊治。检查后，吴孟超确诊其为急性阑尾炎，如果不及时进行手术，有可能引起阑尾穿孔。领队了解到情况紧急，同意了吴孟超当即手术的建议。他们搭了块木门板当手术床，对周围环境简易消毒后，在同事们协助下，成功切除了阑尾。病人很快康复，能下地劳动。自此，吴孟超在黄土高原的穷乡僻壤间声名远播，从十里八乡，到附近县市，方圆几百里的病患，都慕名而来看病治病。

藉此良机，吴孟超向学校领导提出要加强门诊和做动物实验的要求，以全面贯彻“边医疗边教学”的方针，在培养年轻人的基础上，也可以提高办学水准。由此可见，吴孟超仍然念念难忘基础科研。他的建议受到学员的普遍欢迎，也得到了队长的支持。

来找吴孟超看病的患者接连不断，没有一天不安排手术。他成了全科医生，胃、胆囊、子宫，各种手术应接不暇。他的实力再次得到印证，在那样简陋艰苦的条件下，经他之手的病患都能很快痊愈。吴孟超以其超群的敏捷思维、娴熟利落的动作，以及手术台上无可挑剔的技艺，展现了他从“裘氏刀法”中升华而出的“吴氏刀法”之深厚功底，令在场的青年医者叹为观止。他们从中深刻体会到了军医所需的野外实战技能之精髓，以及一位名医所应具备的高超本领……

在西安韩城地区的时间，是吴孟超一生中诊病开刀最繁忙的阶段之一。虽然没能在科研上取得更深入地开掘，但夜以继日地参与临床工作，使他了解了最基层农民的生活现状，也深深体会到缺医少药的痛苦。另一项重要成果，是通过亲身指导与实践，培育出了一批能干的年轻医疗人员。同时，吴孟超在诊疗过程中不断累积关于肝癌患者生活状况与临床表征的数据，为日后在肝癌基础研究与临床科研领域的再次飞跃奠定了坚实的基础。

吴孟超深知，相较于天下百姓，一己之力毕竟薄弱。让更多年轻人熟练地掌握手术技法，才能救治更多病人。吴孟超的胸襟和气度，在“广教乐传”“实战带教”的过程中，得以具体体现。当年带教的这批学生很争气，几十年后，其中不少人成了我国肝胆外科的名医和宗师，而吴孟超自己依然主动勤奋地培养着一批又一批的名家大医。

培训阿尔巴尼亚专家

1971 年 5 月，吴孟超的生命历程中增添了一段刻骨铭心的记忆。他接到了中国人民解放军总后勤部的一项重大“政治使命”——前往北京，负责培训阿尔巴尼亚的专家。

北京的中国人民解放军总医院负责培训。这是中国人民解放军规模最大的综合性医院，国家重要保健基地之一，直属于总后勤部，负责中共中央、中央军委、解放军各总部的医疗与保健工作，负责全军各大军区、各军兵种重大疾病病人的诊疗，同时也收治地方上的重大疾病病人。

在由阿尔巴尼亚卫生部长率领的专家团队里，有一位专攻肝胆外科领域的医生，事后才了解到他的身份，是该国卫生部长的接班人。中国人民解放军总医院特别邀请了精通肝胆外科且得到黄土高原农民广泛赞誉的“赤脚医生”吴孟超，协助他们对外国专家进行培训。

吴孟超的形象，让阿尔巴尼亚专家颇觉意外。他们原以为吴孟超是一位气宇轩昂的大教授，没料到竟是一位身材矮小、黑黑瘦瘦的老头儿，光着头，穿着一件显得有些旧的军棉袄。初见之下，那些阿尔巴尼亚专家脸上露出了不以为然的神情。吴孟超看到了，却并未放在心上，毕竟专家们大多年轻，经验尚浅，加之身为国际友人，对当前的局势不够熟悉，也是情理之中的事情。

第二天，吴孟超站在讲台上，开始授课，他讲解的内容丰富，却又深入浅出，妙趣横生，一下子吸引了专家们的注意。更令他们刮目相看的是，老头儿竟然能讲一口流利的英语和德语。接下来是带他们实习。当看到吴孟超的肝癌切除手术示范，他们不由瞪圆了眼睛，连说话都毕恭毕敬。自此，他们对这位“农民老师”刮目相看，虚心受教。吴孟超对阿尔巴尼亚专家同样关怀入微，双方迅速建立起和谐亲密的师生关系。

为了让阿尔巴尼亚专家获取更丰富、更全面的医学知识，吴孟超不辞辛劳，走访了北京各大医院，诚邀医学界各科权威专家为培训生授课。包括北京协和医院的曾宪九、人民医院的黄萃庭、北京友谊医院的孙衍庆，以及中国人民解放军总医院的多位科室主任。当时他们均处于“靠边”状态，吴孟超亲自一一拜访，邀其合作，致力于外国专家的培训工作。这段经历，为吴孟超与这些各领域的大医们结下了不解之缘。

阿尔巴尼亚专家的培训任务结束了，中国人民解放军总医院院长靳来川将军执意要吴孟超留下来。靳院长目的很明确，如果建立肝胆外科，非常需要像吴孟超这样的名医。吴孟超却婉拒了，他想的是：中国人民解放军总医院主要是为高干保健服务的，不是一所教学医院，连培训外国同行还要由地方医院配合。

吴孟超自同济大学医学院毕业以来，始终坚守在教学、科研与临床三者相辅相成的道路上，不仅已成就斐然，更怀揣着在肝癌治疗领域取得重大突破的伟大抱负。

9 月，吴孟超回到西安，回到了他熟悉的第二军医大学。

一刀切出一个医学史上的奇迹

当农村“开门办学”的师生相继返回西安后，吴孟超依旧投身于日常的教学与医疗活动中。他心中最为挂念的，仍旧是倾注了无数心血与努力的肝胆外科事业。

吴孟超向领导与同事们汇报“恢复肝胆外科”的想法（东方肝胆外科医院提供）

那些年在黄土高原上为了实践开门办学而穿梭于村落间的记忆，宛如一幕幕电影在脑海中回放：农村地区的饮食卫生状况堪忧，生活习惯亟待改善，肝炎疫情蔓延，患者间相互传染，尤其是那些肝胆疾病患者，面容枯槁，腹部肿胀，更有晚期肝癌病人卧床不起，痛苦呻吟……这一幕幕景象，让他深感肩上的责任愈发沉重。

吴孟超躬身力行，撰写了关于预防肝炎的科普文章，探寻疾病的根源，普及预防肝炎的科学知识，同时，他也在心中默默规划着未来学科的发展蓝图。对此，吴佩煜调侃道：“你真是个一门心思扑在治病救人上，思想单纯的人啊！”吴孟超则回应说：“一个国家若要强盛，国民拥有强健的体魄至关重要。而医学的目标，正是为了国民的强身健体。国民健康，民族方能昌盛，国家才能强大啊！”

吴孟超深知，在全球癌症的分布图景中，我国肝癌患者及潜在高风险群体的规模相当庞大，且在全球肝癌患者总数中占据了极大比例。寄望于医学技术先进的西方国家，去解决其疾病谱中非主导地位的肝癌问题，显然不切实际。因此，唯有依靠中国人自己的力量，方能应对这一挑战。

鉴于当时对肝癌诊疗的认知水平和治疗手段还有限，对于具备手术条件的肝癌患者，外科手术自然而然地成为了首选方案。在此背景下，吴孟超深感在广泛的外科领域中，设立独立的肝胆外科科室显得尤为迫切和至关重要。他深信，只要社会存在这样的需求，肝胆外科就必定拥有广阔的发展前景。

吴孟超在黄土高原上摸爬滚打数年，连军区司令和众多地方领导都曾找他求诊，使他在陕北地区声名鹊起，成为了名医。他早已不是初到西安时那个“人微言轻”的新人了。

许多事情都是一个道理，事在人为，更何况谋事在人，关键还是在于要把握时机。1974 年，吴孟超瞅准了军队进行整顿的契机，正式向医院党委打了报告，以“捍卫毛主席革命卫生路线”“为工农兵服务”的名义，申请恢复中断了八年的肝胆外科的科研与临床实践。

时间不长，他的报告获得了批准，吴孟超满面笑容，事实证明，有机会就要努力争取。就像当年成立“三人小组”的时候，他毫不迟疑，立刻召集干过肝胆外科的同事，还顺带招收了一些对肝胆外科感兴趣的年轻的业务尖子。例如，工农兵学员杨甲梅医生就是当时分配到吴孟超手下工作的。肝胆外科组建完成，立即商讨运作方式，寻找尽快恢复第二军医大学肝胆外科的途径。

经过一系列紧张有序的筹谋与准备，第二军医大学第一附属医院在西安正式挂出了肝胆外科的新招牌！对吴孟超来说，这标志着其医学科研事业再度焕发活力，象征着他倾注心血、中断八年的肝胆外科事业终获重生与延续。

新的肝胆外科挂牌伊始，就连续做了几例成功的肝脏手术。大家有目共睹：在进行手术时，吴孟超的双手仍旧灵活敏捷，每一个动作都游刃有余，处理起来既迅速又精准。“吴氏刀法”已臻至更为纯粹、精湛且洒脱的境界。

中国人民解放军第二军医大学第一附属医院肝胆外科的名声很快就在

省内外传播开来。

1975 年新春，西安大地寒意尚浓，人们身上依然裹着厚厚的棉服。门诊大门刚打开，一位挺着连棉袄都遮不住大肚子的男病人出现了，在两位家人的搀扶下，他拖着沉重的步履，慢慢挪进诊疗室。病人叫陆本海，是从安徽慕名而来的农民。听说了“神医”吴孟超，抱着试试看的想法，千里迢迢而来。一进诊疗室，口口声声求见“吴大夫”。病人 40 岁左右，满脸哀戚，恳求“神医”吴孟超救他一命，一边说一边流泪，还不住地呻吟着。

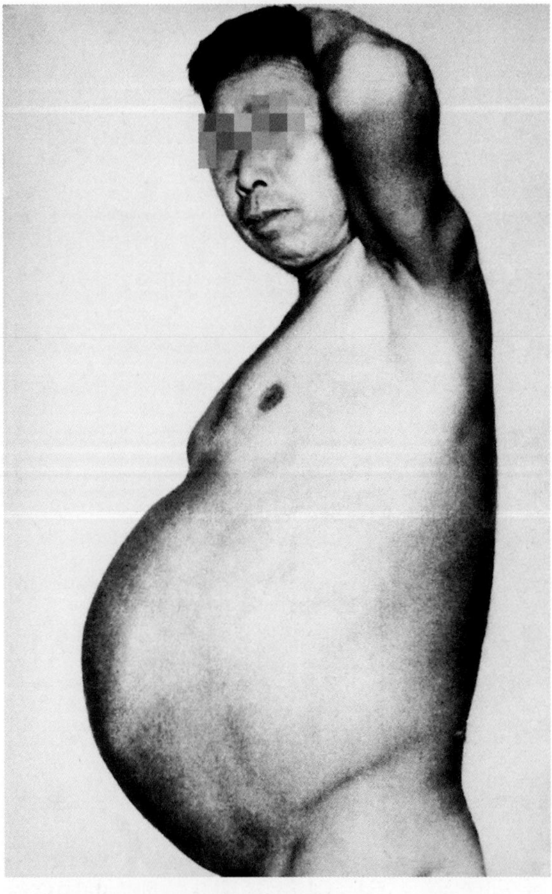

手术前的陆本海（东方肝胆外科医院提供）

吴孟超目睹此景，示意患者就座。然而，陆本海的腹部异常庞大，以至于难以落座，只能以布满厚茧的双手艰难地支撑着那沉甸甸、下坠的腹部，面容扭曲，尽显极度痛楚。吴孟超心中猛然一凛，意识到病情非同寻常。源自于对农民兄弟的深切同情，以及对复杂危重病例的迎难而上精神，他耐心细致地询问起病情细节，结果依旧让他深感震惊。

1966 年 6 月，病人无意中摸到腹部有肿块，鸡蛋般大，到安徽舒城县一家医院检查，怀疑是肝癌，没有给出任何治疗措施。两年过去，陆本海仍好好地活着，只是肚子像十月怀胎般越长越大。1970 年，陆本海的腹部肿块继续长大，家属又找了合肥的大医院求治。手术时，合肥某医院的医生先在病人腹部做一小切口，进腹后见充满血液的巨大血管瘤，不由大惊失色，立即关腹。所幸主刀医生在吴孟超手下进修过，便告知病人家属，“还是去找吴大夫吧！”他们对陆本海的病症，实在是束手无策了。

日子一天天过去，陆本海腹部的肿块越来越大，行动越来越迟缓，他这才下定决心来找吴大夫。吴孟超站在侧旁，静静听着病人的讲述。病人躺在床上，他探出手，仔细按摸，触感硬邦邦，轻轻一敲之后，他紧紧抿起唇，不由把眉头皱成个“川”字。多年经验，他初步判断是罕见的特大肝海绵状血管瘤。吴孟超明确地告知陆本海家属，必须手术切除，但手术难度大，风险也大……

做进一步检查，发现肿瘤直径竟然达到 63 厘米。简直是咄咄怪事。

吴孟超做过不少高难度的肝脏复杂手术，可谓见多识广，即便如此，肝脏部位如此巨大的血管瘤还是头一回碰到。肝海绵状血管瘤属于良性肿瘤，生长缓慢，但这么大的肿瘤，手术摘除的隐患是肿瘤可能破裂，引起腹腔大出血。万一出现这种情况，瘤子切不下来，病人保不住性命，后果不堪设想。手术风险大，但这种血管瘤最好的解决办法还是手术切除。真是难题！即便是像吴孟超这样技艺精湛的外科专家，在面对如此庞大的瘤体切除手术时，也难以确保万无一失。怎么办？接，还是不接？周围几位理性的同仁纷纷建议吴孟超，面对治愈希望渺茫的病人，采取温和回绝的方式或许更为妥当，此刻尚有机会礼貌地让陆本海离开，且此举对医院及医生的声誉影响不大。

一直致力于把病人一个个背过河去的吴孟超，会听从这样的建议吗？他默默注视着陆本海紧锁的愁眉，求生的眼神，沉吟了片刻，斩钉截铁说：“收治了！”吴孟超之所以超越平凡医者，不仅在于他技艺高超、胆识过人，更在于他拥有一颗深切同情病患疾苦的真挚之心！无疑，那些病情复杂、挑战重重的病例，对既勇于探索又精于应对的军医吴孟超而言，具有难以抗拒的吸引力。吴孟超的理念与第二军医大学领导的观念不谋而合，他们给予了他全力的支持与肯定。

接诊了病人，就要全力以赴。吴孟超和他的助手们开始夜以继日地工作，查阅了大量国内外相关资料，考虑到陆本海的病情，制订了详尽的手术方案。他还精心策划了一套全面的手术计划，并针对术中可能出现的各种意外情况，提前设计了周密的应急处理措施。这一全面而细致的手术计划，后来成为了肝胆外科领域内的典范之作。从理论上讲，该手术计划的完美程度无可挑剔。

学校和医院领导高度重视此次手术，调动了 15 个科室的超过 40 位医疗人员，组建了 9 个专业小组，分别专注于指挥调度、策略咨询、主刀手术、麻醉管理、内科支持、血液保障、特级护理、后勤保障及信息联络，精诚合作，协助吴孟超接受这一艰巨挑战，以确保手术圆满成功。

1975 年 2 月 8 日，上午 8 时 25 分，手术开始井然有序地进行。这如同一场策划周密且扣人心弦的战役，全体参战者都竭尽全力，全力以赴。由吴孟超主刀，陈汉等医生协助。在剖开病患腹腔之前，吴孟超首先将手术刀伸向病人的右上臂动脉，镇定自若地分离出左侧的桡动脉。此等异于常规的举动，在行家眼中预示着手术潜藏的风险。其策略在于，若术中突发大出血且常规输血手段失效，即可通过事先显露的左侧桡动脉实施加压输血，以保障病人生命安全。这是吴孟超手术策略中的一项关键部署，堪称险中求胜，虽不合常规，实则周全考虑，未雨绸缪。在场众人皆洞察到吴孟超为防范最坏局面所做出的周全预案。

吴孟超按照拟订的方案，在腹部正中切开了不长的切口，谨慎探查。切口长一分，探查进一寸。肉眼已经无法直接观察内部情况，吴孟超完全凭着自己的手感继续。他敏锐的手感当然不是凭空出现的，而是建立在无数次实践的基础之上。当他确认瘤体可以切除，便逐步扩大切口到所需长度。可想而知，对于这样的手术来说，切口越大越便于操作，但切口大，对病人的损伤也就增大，不利于术后创口愈合。吴孟超一直秉持的信念，就是能少开一寸就绝不多切半分。陆本海的血管瘤特别大，需要把第六肋骨切掉，这样的大切口才能满足手术需要。这一切，说到底，仅仅是整个手术流程的前奏，旨在为摘除肿瘤铺平道路。

腹腔完全打开，一个被血液充涨成蓝紫色的巨大瘤体出现在无影灯下，这罕见的瘤体上端探入胸腔，下端伸进盆腔，应和着呼吸起伏，就像一个有着蓬勃生命力的怪物！就算是见惯了各种各样肝部肿瘤的助手们也不由倒吸一口凉气。吴孟超全神贯注，缓缓进入由错综复杂的血管编织而成的“迷宫”深处，这些血管或大或小，或粗或细。他谨慎地逐一剪断并结扎血管，同时缓慢而坚定地进行分离工作。每一步操作都需极致小心，因为任何微小的失误，比如手术刀不慎划破一根血管，都可能导致鲜血猛然涌出，局面瞬间失控。在手术台上，“吴氏刀法”的精、快、细得到了淋漓尽致地体现。助手们默契协作，不断重复着切断与结扎的动作，全员精神高度集中，动作衔接紧密无间，生怕一丝喘息会打破这份凝重。手术室内，唯有器械传递的清脆声响敲打每个人的耳鼓，连空气都仿佛被这份紧张凝固，忘了流动。一小时、两小时、三小时……时间悄然流逝。吴孟超稳如泰山，动作娴熟地重复做着那些步骤：切断、止血、小心谨慎地剥离——这种堪比制造精密仪器匠人所从事的细致工作，确实既考验面对手术各种状况的应变能力又特别耗费体力。

尽管吴孟超已五十四岁，体魄依然硬朗，但岁月不饶人，到底不如年轻的时候体力足。连续数小时的高强度手术，让他感到疲惫，再加上精神高度集中，双重压力下，额头不禁渗出细密的汗珠。要知道，古都西安的二月，仍是春寒刺骨之时。“陆兄弟，我一定要助你走过难关，坚持住！”这是吴孟超心中不断回响的坚定信念。一旁的护士频繁地用纱布为他拭去汗水，然而汗水依旧不断渗出，只能一遍遍擦拭，周而复始。

在明亮的无影灯照耀下，手术台前仿如白昼，而外面，阔大的夜幕已悄然落下。吴孟超的手术即将迎来决定性的一刻，他指示一位高大的助手，将硕大的肿瘤自陆本海的腹腔深处小心地托出来，这一举动在外科史上前所未有。

随着瘤体的顺利取出，手术宣告圆满结束。吴孟超矗立于手术台旁，一丝不苟地审视着每一条结扎后的血管，确保其无丝毫渗血迹象，随后以精湛的手法完成了腹部的细致缝合。抬起头来，已经是晚上 8 点 35 分。手术从上午 8 点 25 分开始，整整进行了 12 小时 10 分钟。

被切除的瘤体测量结果显示：重 18 千克，体积为 63cm × 48.5cm × 40cm。吴孟超以高超的手术技艺，切出了一个医学史上的奇迹，也是截至目前国内外报道过最大的被切除的肝海绵状血管瘤。在 20 世纪 70 年代属于“世界之最”。

陆本海住进了病房，生命体征一直平稳，吴孟超和陈汉医生足足守候了一个星期。得益于他们细致入微的治疗与呵护，仅仅 11 天后，病人便能下床走动。经过一个月的调养，其体重增长了 7.5 千克，在不足一个半月的时间里，病人完全康复并顺利出院。

特大肝海绵状血管瘤切除及中肝叶整体摘除等重大手术顺利完成，彰显了我国肝脏外科技术的日益精进，“吴氏手术技艺”已然迈入登峰造极之境。

一次次重大手术的成功，让吴孟超的境况发生了很大改变，其中不能不提的是，他得到了可以安心搞肝脏学科研究的环境。仿佛有一股无形的力量在背后推动着，让他的生命历程在历经曲折之后，竟奇迹般地重新回到了原先的轨迹。再次拥有了良好的氛围，吴孟超像是鼓满了风的帆，在医学的海洋里乘风破浪，奔着自己的目标奋勇向前。

吴孟超从来没有停止过思考，在经历了陆本海的手术后，他想到的更多了。对于风险很大的巨大肿瘤，能不能采用综合治疗的方法，让肿瘤在药物干预下缩小些，再切除。如果这个方法可行，那么，会把手术的风险降到更低，成功率自然会相应提高。

有一位患巨大肿瘤肝癌的病人，看到关于陆本海的媒体报道后，在 1975 年夏慕名前来，也想找吴孟超手术。检查后发现，肿瘤虽然没有陆本海的大，但紧贴着大血管，风险更大。连吴孟超也摇摇头，摆着双手，说暂时没有办法手术。病人和家属都抱着极大的希望，听到吴孟超这样说，无异于万箭穿心。医学是科学，医生是人不是神，情况太过复杂，得结合事实来做判断。

吴孟超仍然还是接诊了这位病人，并跟家属做了解释，征得同意，采用往肝血管内灌注抗肿瘤药，结合施行“肝动脉结扎或栓塞术”，观察效果。吴孟超的推论是正确的，一个多月后，肿瘤明显缩小，可以进行手术切除。术后病人很快康复。这个方法行之有效，让他找到了解决巨大肿瘤的新途径。先进行综合治疗，使瘤体缩小，降低肿瘤细胞活性，甚至可能形成肿瘤包膜。截至 2011 年，吴孟超用这种方法治疗巨大肿瘤，施行 800 多例手术，成功率 100%。

第二章　国际外科会议刮起“吴旋风”

一滴血可知病症

1975 年 7 月，中国人民解放军总后勤部所属的几所医学院校奉命复位，第二军医大学迁回上海。一切向好，吴孟超热切期待着科学繁荣的时代尽早到来。

我国肝癌高发是一个严酷事实，吴孟超在思考的是：肝胆学科事业的进一步发展怎样才能实施并推广。

时时刻刻，一直萦绕在吴孟超脑海的，都是同一个问题：过去年代，以科学文化为事业的人们，都有着家国情怀，深深地热爱着自己的祖国。他们总是向往着国家富强、民族兴旺、科学蓬勃发展。吴孟超与众多科学家们一道，历经风雨飘摇的年代，饱尝艰辛，在坎坷的道路上坚韧不拔地奋进。新中国诞生，解放了人民，也让科学获得了解放。政府擘画了迈向社会主义现代化强国的壮丽愿景，并对科学领域及科研工作者表达了深切的关怀。在这样温暖美好的背景下，他创建了肝胆外科，也带领着整个科室得到了长足的进步。接下来，他要怎么做呢？多年来，他受恩师裘法祖的栽培指点，投身肝胆外科领域，从无人涉足的荒原一步一步试探着蹚出了一条小路……经历过的艰难坎坷，获得的成绩与荣誉，都记忆犹新。而今年逾五旬，必须抓紧时间，奋力追逐肝胆外科繁荣兴盛的理想！

吴孟超面对着一个严酷的现实：我国每年死于肝癌的病人近 20 万，占世界原发性肝癌死亡人数的一半还多。这是一系列多么骇人听闻且令人无可奈何的数据啊！吴孟超和他的团队可以利用手术挽救极小一部分病人的生命，更多的病人怎么办？怎样让他们成熟的手术技术得到最大范围推广？怎样让更多医生有能力投入有效的手术治疗？在学校里能不能设立专门的肝胆科研机构，以培养较高层次的人才梯队？他想了很多，思考了很多，一名医生的责任是治病救人，他希望最大限度地发挥作用。

针对癌症这一独特病症，其关键在于早发现早治疗，才能提升外科手术的成功率；一旦进入中晚期，手术成功的机会便大为缩减。因此，肝癌的早期诊断与治疗成为了医学界亟待攻克的重要课题，尤其考虑到我国肝炎与肝癌高发的实际情况，这一课题更显迫切。数据显示，1974 年上海市肝癌发病率高居恶性肿瘤第三位，患者年龄跨度极大，从 5 个月婴儿至 74 岁老人均有涉及。鉴于此，自西安返回上海后，吴孟超携手团队倾注大量心血，率先在上海地区启动了覆盖 18 万人次的肝癌大规模筛查。大规模医学筛查是推进肝癌早期诊疗研究的基础所在。吴孟超筛查工作的创新之处在于，国内首次引入了扁豆凝集素、醛缩酶同工酶等先进检测技术，仅需一滴血即可准确识别低浓度甲胎蛋白阳性肝癌患者，准确率超过 90%。正所谓“滴水映日，滴血察疾”，这一突破为肝癌的早期诊断与治疗开辟了全新的道路。

常规情况下，早期病人（即小肝癌病人）在接受手术治疗后，效果较好。在那段时期，吴孟超及其团队将早期诊断和治疗的研究成果付诸实践，成功地为超过 100 名小肝癌（直径小于 5 厘米）患者及时实施了手术切除。这些患者中，最小的一例早期肝癌仅如黄豆大小，手术切除后，他们的 5 年生存率高达 68%。

边普查，边思考，吴孟超考虑的问题，已经不只是肝胆外科的范畴：肝癌与肝炎有着必然的密切关联，我国作为肝炎的高发区，如果可以合理预防，必然能够降低患病率。还有就是，要怎么才能寻找到更理想的肝癌标志物，以期尽早发现亚临床肝癌，尽早提供治疗？原发性肝癌首选是外科手术，可是做一台手术只能救治一位病人，对于大量不能手术的病人，采取的治疗措施基本上是化疗、放疗、中医中药治疗等等。多年过去，在这些领域是不是也可以有所突破？短时间内无法安排手术的肝癌，要用什么方法把肿瘤缩小后尽快切除？即使是没有手术可能性的病人，有没有什么方法可以提高他们的生活质量？肝癌是全身性疾病，想攻克肝癌，要靠科研，要靠基础研究，从本质上弄明白究竟是什么导致了肝癌的发生。长海医院外科手术室切除了大量肝癌组织，能不能利用它们，从标本的生化角度来探寻起因呢？能不能跨出外科领域，组建一支强大有力量的关于肝胆的综合性基础科研队伍呢？让吴孟超伤心的是，肝癌术后 5 年生存率仅为 16%，有没有什么措施可以把生存率提高呢？肝癌术后复发，怎么办呢……

“科学的春天”来了

1975 年 8 月份，第二军医大学及其附属医院迁回上海原址，肝胆外科开设病床 25 张，为独立护理单元。吴孟超在科里开展了选择性肝动脉造影术，同时开展的还有肝移植的动物实验研究，在他的倡议和主导下，成立了以肝胆外科为主的多学科研究组。他蓄势待发，准备在医学领域大展拳脚。

1977 年，吴孟超及其肝胆科研团队策划并完成了“肝海绵状血管瘤的外科综合治疗研究”“肝移植动物实验”等项目，与上海注射器厂合作研制出微量动脉泵，用于晚期肝癌抗肿瘤药物灌注。身为外科教研室副主任的吴孟超，在临床工作上屡攀高峰，同时在基础科研方面也已完成全面部署。他巧妙地将科研与临床相结合，两者并进不悖，推动其事业取得了显著进展，不断有基础与临床的科研成果问世。

8 月 4 日至 8 日，在北京，邓小平同志召开了一次 30 人的座谈会。邓小平决定，来年春天召开一次 5 000 人以上的全国科学大会；邓小平毅然选择了科研开放的路径，即“要派出去，要请进来”，积极推动与国外学术界的联络与合作。他决定废除工农兵学员凭“推荐”入大学的制度，重启全国高考制度，于 1978 年分春秋两季进行两次招生（春季入学者被归为 1977 级），至 1979 年全面恢复了正常的高考流程。此外，他坚定地引领了改革开放与对外开放之路……邓小平还说：“我愿当科技界的后勤部长。”

1978 年 3 月 18 日，正是春风浩荡春意初绽的时候，筹备了长达八个月的“全国科学大会”在北京如期盛大举行。身为部队界的代表，吴孟超偕同全国逾 5 500 名代表，一同踏入了庄严宏伟的人民大会堂。

邓小平在大会开幕式上作了重要讲话，讲话中明确指出“现代化的关键是科学技术现代化”“知识分子是工人阶级的一部分”，再次指出“科学技术是生产力”这个马克思主义的基本观点。他的演说厘清了科技进展中的理论纠葛，挣脱了长久以来束缚人心的思想桎梏，引发了代表们如雷般热烈的掌声。

开幕式结束后，精神焕发的吴孟超步出人民大会堂，只见十里长街灯火辉煌。归途之中，旅馆之内，满怀激情的吴孟超与诸位代表畅谈，直至深夜仍无睡意。毕竟，这标志着他人生的“又一新生”，怎能不心潮澎湃？

思想的解放，带来观念的更新，吴孟超觉得自己更年轻更有干劲了。他说：“解放的不仅是人，还有我的智慧！”

在“全国科学大会”上，吴孟超、张晓华、胡宏楷、陈汉、姚晓平等提交的肝胆外科新成果——“正常人肝脏解剖的研究”“常温下肝门阻断切肝法”“中肝叶切除手术成功”“肝海绵状血管瘤切除术”等，获全国科学大会奖，吴孟超被评为先进个人。31 日，举行大会闭幕式，中国科学院院长郭沫若作书面发言，他用《科学的春天》作为发言题目。

春意盎然之时，科学的春天确已翩然而至。吴孟超同全国历经寒冬的民众一样，深切感受到春日暖阳的温柔。他与所有参会的代表一样，找回了作为人的尊严与自我价值，更激发了内心深处的报国之志。

吴孟超一直记得，大会结束，邓小平同志亲切接见了他和与会的代表。之后，他参加了中国人民解放军总后勤部科学大会。

出席全国科学大会后，吴孟超（前左六）参加中国人民解放军总后勤部科学大会（1978，北京，东方肝胆外科医院提供）

会议期间，他匆忙赶回上海，为长征医院原院长赵志民做了肝癌切除手术，术后，赵志民恢复很快。

沐浴着和煦春风的吴孟超满怀豪情，甫一抵达上海，即引领其团队在肝移植的疆域中开拓了一片全新的领域。6 月 2 日，吴孟超率领的肝胆外科团队进行了全军首例同种异体肝移植。原发性肝癌患者程佩如的移植手术圆满成功。肝胆外科团队亦实施了囊肿横断胆总管 Roux-Y 吻合术，旨在治疗先天性胆总管囊肿；并且采用了针对原发性肝癌术后复发进行再次切除的先进技术与创新疗法。中华医学会编辑的《第九届全国外科学术会议论文摘要》

刊登肝胆外科论文和报道：吴孟超、陈汉、张晓华、姚晓平、杨甲梅《18 年来手术切除治疗原发性肝癌的体会》；胡宏楷、吴孟超《肝叶切除治疗原发性肝内胆管结石远期疗效的探讨》，以及《肝移植术一例报道》，介绍首例肝移植经验和体会等等。

吴孟超意气风发，走在“科学的春天”里，那段时间，他心情最舒畅、工作效率最高。

为了更好地发展肝胆外科事业，回到上海的吴孟超，借科学大会的契机，紧锣密鼓地打报告，申请将原设在普外科的肝胆外科（人们笑称“科中科”）分离出来，开设独立的肝胆外科，这样更有利于肝胆外科在临床治疗、基础科研和临床科研等方面迅猛发展。第二军医大学的领导十分重视吴孟超的提议，向总后勤部打了科室列编的报告。

上级迅速批准了长海医院设立独立建制的肝胆外科，并为其配置了相应的编制。这不只意味着医院新增了一个科室，还标志着中国在外科学领域的一项前所未有的创新——肝胆外科作为独立的学科分支正式诞生。这一举措，是吴孟超长久以来梦寐以求的，延续了他在临床与科研事业中渴望实现的“第一次腾飞”。

旧金山会议刮起“吴旋风”

1979 年 2 月 12 日，根据总后勤部下达的医院编制序列，第二军医大学第一附属医院（长海医院）外科教研室副主任吴孟超兼普通外科主任，仍主管肝胆外科工作。3 月 5 日，经总后勤部批准，第二军医大学建立全军肝胆外科中心，中心设在长海医院。此举标志着我国肝胆外科在建制上实现了从无到有的历史性跨越，为肝胆外科事业的蓬勃发展奠定了坚实的基础，并创造了持续发展的必要条件。

4 月，吴孟超受邀担任了总后勤部卫生部第三届医学科学技术委员会委员。8 月，他的三女儿吴瑛考上第二军医大学……喜讯频传，“科学春天”里绽放的繁花让吴孟超应接不暇。他心中都是喜悦，更激发了满腔热情，决心大展拳脚，撸起袖子加油干。

1979 年 9 月初，第 28 届国际外科学术会议在美国旧金山举行。参加这次会议的有美国、苏联、英国、法国、德国等 60 多个国家的 2 000 多名外科专家，这次会议是国际外科界最高的学术水准。

我国肝胆外科创始人吴孟超教授，获得了作为中国外科学界代表参会的资格。他与三位外科领域的顶尖权威——泌尿外科权威吴阶平教授（担任团长）、享誉世界的断指再植专家陈中伟教授，以及上海第一医学院手外科的杰出代表杨东岳教授，都收到了大会的邀请函。依据大会组委会的安排，四位专家将在会议上宣读他们的研究成果。从成立“三人小组”的 1958 年到 1979 年，在肝胆外科领域，吴孟超已经整整奋斗 21 年。他勇于探索，敢于创新，构建了富有成效的肝胆学科理论体系，并确立了相应的临床技术体系。在两大体系指导下，吴孟超所带领的团队在基础与临床研究，以及实际诊疗上，均获得了举世瞩目的卓越成就。能够参与此次高规格的学术会议，无论对吴孟超个人，还是对我国肝胆外科领域而言，都是一次展现中国风采、汲取国际先进理论与技术的宝贵契机。

这是改革开放后我国首次派遣的国家级医学代表团，各方对此次出访给予了高度重视，毕竟，四位专家均为当时中国外科学界最具权威性的顶尖人物。

会议开幕前，各国代表团都收到了会上宣读论文的目录。吴孟超看到有三位肝胆外科专家宣读论文，安排在同一天上午，他最后发言。与外面的世界隔绝多年，第一次参加这样高规格的国际盛会，吴孟超心中不免忐忑。

这次出席国际外科学术会议，除了进行学术交流，吴孟超确实还希望一偿为国争光的夙愿。吴孟超的论文题目是《18 年来手术切除原发性肝癌的体会》。赴会前，吴孟超不断练习，作了充分准备，校准了英语的发音，调整了语气语态。为了配合演讲，还精心制作了幻灯片。

会上，吴孟超听了其他国家两位肝胆外科专家宣读论文，心踏实下来。他相信，自己的文章质量没问题。

宣读开始，吴孟超以流利的英语提供了一组数据：从 1960 年 1 月到 1977 年 12 月，已手术切除并治疗原发性肝癌 181 例，手术死亡率 8.8%，有 6 例生存 10 年以上……

这些枯燥的数字，在外科专家们的耳中，犹如生命交响曲中最动人的旋律。他们不由坐直了身子，全神贯注地听着，惊叹不已！对比之下，前两位专家报告中提及的肝癌切除总数仅为 18 例，而中国专家的实践已累积至 181 例，且手术成功率竟高达 90% 以上，实在令人佩服！随着吴孟超的宣读继续进行，会场内的听众反响热烈。

会场复归安静，吴孟超言简意赅地论述了手术指征、手术操作、降低死亡率的策略、疗效评价四个方面，内容涉及肝脏解剖理论、常温下间歇肝门阻断切肝法、术后代谢综合治疗策略、中肝叶的切除……这些自创的理论和方法。他还简洁地罗列了肝胆理论体系与临床技术体系，并配以清晰的图像演示，令所有代表听得全神贯注。

发言结束，与会专家争先恐后提出问题。吴孟超知无不言，以流畅的英语一一作答。他走下讲坛，不少专家围上来握手，表达钦敬与祝贺。

中国代表团刚回到下榻的旅馆，美国加利福尼亚大学的教授接踵而至，诚邀吴孟超去参观并讲学。

很快，旧金山各大报刊纷纷刊登了各式各样的评论，同时传达了赞誉声音。“沉默的中国人，以东方特有的睿智，悄无声响地走入了国际外科手术的领先行列，而令所有曾经忽视了他们的人，大大地吃了一惊……”

“中国医师吴孟超教授的论文《18 年来手术切除原发性肝癌的体会》使旧金山会议刮起了一阵‘吴旋风’！”中国医学代表团此行成果丰硕，圆满完成了既定任务。

吴孟超携手团队，在肝胆医学领域取得了举世瞩目的成就，为中国医学赢得了国际声誉。此外，在第 28 届国际外科学术盛会上，他以高票增选为国际外科学会会员。

参加国际学术会议，让他更清晰地了解了全球肝癌病人的分布：患肝癌的主要是黄种人、黑种人、阿拉伯人，而白种人几乎不患肝癌。在美国，若有美国籍肝癌病人，往往也是华裔。这就是两位外国学者的报告只做了 18 例肝癌手术的最主要原因。我们确实做了 181 例手术，但这并不是骄傲。全球每年新增的肝癌病人，一半以上出现在中国，到底是什么原因？

11 月 28 日，《解放日报》以《闯开肝脏外科禁区的人——记长海医院肝胆外科主任吴孟超和他的战友们》为题，报道了吴孟超等医务人员的先进事迹——18 年间为 181 例肝病病人成功进行肝脏外科手术。

同年，《实用肿瘤学》由人民卫生出版社出版，这是由吴孟超参与主编的一本新书。肝胆外科在他的带领下，又完美实现了在常温下全肝血流不阻断情况下的切肝新技术。

造就优秀的人才梯队

在不同场合，吴孟超反复提起，“中国的肝胆外科要发展，极需要造就一支梯队，我必须花更多的时间和精力放在培养学生身上。”

1978 年全国科学大会成为了一个转折点，在此推动下，我国将恢复大学本科与研究生招生制度，以及重启学术职称评定工作，作为科研与教育领域改革的关键步骤之一。

俗话说“英雄亦适时”。当整个社会环境春意融融，他立刻如同一棵大树，展现出了旺盛而又蓬勃的热情。所谓“精神成就事业，态度决定一切”，作为一名领导者，在肝胆外科领域，吴孟超一直深谋远虑，他知道，新的契机出现在眼前，应该大力培养年轻人。他是教授，可以申请带研究生。作为肝胆外科的学科引路人，他深刻意识到，培育具有专业技能的高端医学人才是当前的重中之重。尽管他个人医术高超，“吴氏刀法”精湛绝伦，但他明白自己分身乏术，即便终日埋头于手术之中，所能救助的患者依然有限，众多亟待手术的患者仍需在漫长的等待中寻觅床位……为了让肝胆外科领域取得更大进步，实现长远发展，他深知必须加速构建一支卓越的人才队伍，同时，在医疗硬件设施的升级上也需投入更多力量。

显然，吴孟超内心深处对人才的渴望，多年以来如暗火潜藏，随着科学大会的召开，这股渴求之火终于借着会议的东风熊熊燃起。

要不要招收研究生？这个问题令吴孟超辗转反侧，难以入眠。他当然知道多一事不如少一事，但“我国肝胆外科亟需构建人才梯队”的想法却顽强地涌现，且愈发强烈、成熟与坚定。

吴孟超明白：眼下正是时不我待的重大机遇，要想把肝胆学科做大做强，实在太需要人才了！只是靠他和科室里很少的几个人，势单力薄，力量肯定不足，那又怎么去专攻肝胆外科的堡垒呢？他还想到，自己已经是57岁的人了，岁月不待人！

吴孟超是个敢想敢干的人。

忧虑还是有，他却不再前怕狼后怕虎。全国科学大会开过，整体环境持续向好。他始终坚信国家当前的政策导向，决定先实践再论其他，面对挑战自当勇于承担……

三思之后，就是行动，他果断向第二军医大学领导提交了申请招收硕士研究生的报告。

关于招收研究生这件事，吴孟超的顾虑不少。他没有接受过研究生培训，不知道具体要怎么实施。也怕条件受限制，没有好的实验室，耽误孩子们的学业。这也是学校内一些老教授所顾虑的，大家思前想后，都没有信心，虽然议论很多，申请却不敢提。与大家不同的是，吴孟超心里有坚定信念，要竭尽所能为我国肝脏外科培养出学有所长的高层次人才。因此，他承受住重重压力，毅然决然地申请培养研究生。

吴孟超深知，招收研究生的初衷在于将自身知识与经验倾囊相授，确保事业薪火相传，学科蓬勃发展。面对未知，他决心引领学生勇敢探索，并亲身参与其中，与学生们一道革新基础理论，精进临床实践。在此过程中，他将着力培养学生的科研素养，力求取得探究性成果，不断为现有学术体系添砖加瓦。

吴孟超的申请，得到了学校党委的支持，很快研究并批准。在吴孟超带动下，几位老教授也申报了研究生培养计划。第二军医大学将申报按规定分别上报中国人民解放军总后勤部和国家教育部。

1978 年 9 月 23 日，国家教育部揭晓了“文化大革命”结束后首批全国高校及科研机构硕士点名单，其中第二军医大学的微生物学、寄生虫学、生理学、外科学、影像医学及药物化学六大专业均荣耀入选。同时，由吴孟超率领的肝胆外科亦赫然在列，成为首批硕士点之一，而该领域的奠基人及领航者——吴孟超教授，自然担纲起了指导老师的重任。

申报的硕士培养点获得批准，吴孟超更忙了，他做了大量细致周密的准备工作。1979 年，正式招收硕士研究生。吴孟超是著名的肝脏外科专家，肝胆外科又是亟待开发的很有前景的专业，报考者络绎不绝，经严格筛选，最终仅少数佼佼者脱颖而出。

吴孟超在选拔研究生时，除了遵循国家规定的政治要求与学业成绩外，还设立了个人的额外录取准则：

一、字体要工整，做事要认真；

二、思路要清晰，思维要新颖；

三、学习要努力，工作要刻苦。

吴孟超为硕士生设定的标准颇为严苛，鉴于他旨在培育国家亟需的人才，因此绝不容许有人意图浑水摸鱼、敷衍了事，或是将其视为晋升的跳板。

吴孟超对研究生尤为重视基础训练，并着重教导他们为人之道与行医之理。他既看重学生的医术精湛，更强调医德高尚。因此，欲拜入吴孟超门下的研究生，不仅需学业有成，更需人品端正，心怀仁爱。在课题选择上，他主张临床与基础理论紧密结合，要求切入点虽小但研究需深入。对学生的实验，他秉持严谨态度，稍有不符即要求重做。同时，他实行严格的淘汰制。他对学生的要求是，不管病人是不是话多啰唆，显得耗时有些长，医生都必须全神贯注，耐心倾听完整表述，切忌打断。唯有全面沟通，才能更加准确地判断病情，合理检查、诊断、开方或安排住院乃至手术。

如果遇到寒冷天气，手容易显得凉，不管医院条件怎样，吴孟超一定要把手搓热了，才去接触病人身体。他身体力行，自己是这样做的，也这样要求研究生。小事不小，正是在这些细节深处，病人会感受到温暖，体会医者仁心。

1979 年，遵循严谨的选拔程序，吴孟超第一批录取了两名硕士研究生：一位是来自云南的陈训如（日后担任成都军区昆明总医院肝胆外科中心主任之职）；另一位则是屠振兴（学成后留在长海医院，成长为该院的业务中坚）。

考虑到科研需要，“肝癌的早期诊断”成了吴孟超给两名研究生确定的课题。就肝胆医学的进步而言，肝癌的及早诊断能显著提升治疗效果。时年 57 岁的吴孟超深知，众多科研项目的推进需寄望于有志的青年。他如此布局研究课题，寓意深远，既可以激发创新思维，又承载着传承与引领的使命。

1981 年 8 月，吴孟超的第一批硕士研究生毕业。

同年，吴孟超申请并创建了第二军医大学首个博士培养点，旨在培育肝胆外科领域更高层次的杰出人才。11 月 3 日，国务院学位委员会批准，将长海医院的肝胆外科纳入首批博士授予学科点，博士生导师还是吴孟超教授。

吴孟超招收的博士生，有他的硕士生再进一步深造的，也有从其他院校（研究所）、其他学科或专业毕业的硕士研究生转攻肝胆学科的。

吴孟超是一位优秀的医学教育家，他明白：成事在人。想要成就大事业，必须积聚高素质人才，构建一支卓越的人才梯队。

他是这样想，也是这样做的。在1979年招收了两名硕士研究生之后，吴孟超年年都会招收优秀的年轻人进入他的研究生队伍。

吴孟超还强调“要培育大批青年科学家”，许多创新的见解是青年人先觉察到的或先提出来的，导师的责任在于敏锐发掘具有创新精神的青年，予以激励与指引，帮助他们快速成长与成熟。培养青年医学科学家和科研型临床医生，重中之重是乐于并善于发现和支持富有创见的青年，赋予机遇，搭建平台，使其才智得以充分施展。吴老身体力行，其求真务实的学术追求与稳健扎实的科研态度，启迪了无数后辈。

吴孟超的奉献精神，表现在各个方面。他经常受邀为各地培训肝胆理论与临床实践的人才，都是无偿付出。开设肝胆外科的医院，总能轻易发现吴老的弟子。

为了紧跟医学领域的步伐，吴老巧妙借助国外医学科技力量，在1993年便率先实施了融合国际科技合作与人才培养的新途径——“哑铃模式”，并在此框架下培养了大批医学优秀人才。1995年，他更是慷慨解囊，创立了“吴孟超医学科技基金会”，以表彰并激励医学人才的茁壮成长。故而，吴老被评为“教育功臣”，实至名归。

2005年，吴孟超教授的学生王红阳教授列入院士后备人选。中国工程院考核组到东方肝胆外科医院实地了解情况。那天一大早，吴孟超就穿着笔挺军装迎候考核组成员。车刚刚停下，吴孟超立刻跑过去为考核组成员打开车门，又把他们请到会议室，汇报王红阳的情况。考核组的成员由衷感叹：“吴院士真是了不起的老师，对学生真好。年逾八旬的长者，亲自为五十多岁的后辈跑前跑后寻求支持，此情此景，着实令人钦敬！”

吴老凭借卓越的人格魅力，不仅培养并留住了人才，还成功从其他单位甚至国外吸引了不少人才。他的学生们成才后，往往效仿吴老，继续培养新一代年轻人。这种像“滚雪球”一般的人才培育与汇聚，使得东方肝胆外科医院得以拥有数代“吴门弟子”，呈现了多代同堂的繁盛景象！

第三章　一腔肝胆为病人

达到六字"三会"

吴孟超在培育研究生时，致力于实现六字"三会"——"会做会说会写"。这一理念源自他对裘法祖老师教育思想的传承，裘师一直秉持着同样的"三会"自我要求。

这六个字，虽简练却蕴含深意。

简而言之，也就是"做、说、写"三个动词。将其与肝胆名医吴孟超教授培养指导研究生相联系，普遍的认知大概是：能做精湛的手术（会看病开刀），能讲手术技巧和心得体会（教育或作学术报告），会写论文或专著（学术贡献）。

这样的理解显得局限了。

吴老的阐释是：所谓会做，包含了"做人做事做学问"这三个层面。这近乎囊括了培育高素养人才所需要的严苛标准。两个"会"——会说与会写也包含其中。医生是特殊的技术行业，"两会"必须予以特别要求。

每一位新生，都听过吴老这样的要求，他坚信知识的火种能够代代相传，薪火相继，火焰才能更加旺炽。这不仅是学术传承的需求，更是为人之本。正是一代代学生秉承并发展了裘师提出的"六字诀"，吴孟超在人才培养与学科建设上才取得了辉煌成就。

吴孟超首批招收的博士研究生是郭亚军（曾任第二军医大学国际合作肿瘤研究所所长）和杨广顺（曾任东方肝胆外科医院胆道二科主任）。他屡屡向两位学生强调：唯有将“服务人类、为公众利益献身”作为学医的志向，才是正确道路，才能成为品德高尚的医疗工作者，赢得人们的尊敬与爱戴，成为真正的白衣天使。

吴孟超依据学科发展脉络需要，以及研究生个人专长，引领他们朝两个方向发展：譬如杨甲梅、杨广顺等学生偏重培养他们临床实践能力，使手术技艺精益求精，并鼓励他们探索未知领域；而对郭亚军、丛文铭等学生，则侧重于实验研究，瞄准全球医学科技前端，力求理论上的创新与突破。这两类人才相辅相成，共同提升，构成了一支特色鲜明、全面覆盖、理论与临床紧密融合的团队。这正是吴孟超教授的教育理念与策略：从临床实践出发，经由实验研究，再回归临床实践（在每个关键环节精心培育专长突出的顶尖人才），每一轮循环都标志着肝胆学科迈向新高度，跃上新台阶。

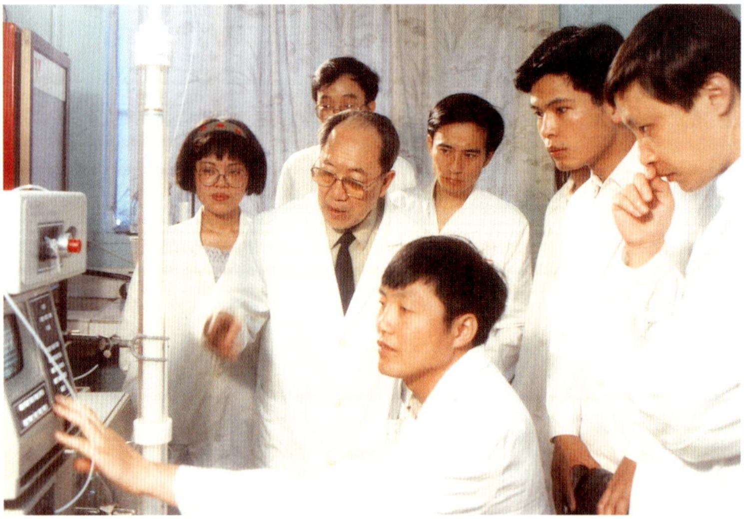

吴孟超指导研究生实验（东方肝胆外科医院提供）

核心要求是“做人”

吴孟超对学生的核心要求是“做人”，并将其置于首位。倘若连基本的为人之道都不具备，他未来的行事与学术研究又怎能立足呢？

吴孟超选拔研究生，尤为重视的是他们内心对“要做好人”的渴求和“仁心行医”的基本品质。知识的广博与学问的深厚，仅是成就人格的一种途径，并不能单纯以此视为人格完善的标志。

吴孟超几十年所经历的，可谓丰富。在逆境中不懈拼搏，在成功时持续奋进，以仁心仁术所展现的种种作为，都切实地证明了：身为导师的吴孟超，已用自己一辈子的言行举止，高洁地解答了人生的课题，并且极为透彻地理解了人在世间，品德修养的至关重要。

吴孟超为研究生授课（东方肝胆外科医院提供）

吴老之所以能在事业与学术领域收获如此卓越的成就，核心在于他毕生不懈地探索为人之道，其人生轨迹无不彰显着他独有的处事原则与人际交往的智慧。

吴孟超历经波折开辟的科学道路，每一步都体现了自强不息、自力更生、自信笃定、超越自我的精神。自幼他就有明确的志向，用现代流行语来说，即“心怀梦想”。由立志当一名优秀的外科医生，而后逐渐升华，渴望成为一名“有出息的人”，最终逐步进化追求，要成为“医术精湛、医德高尚的大医”。

吴孟超的人格魅力，首要之处在于他年少便立下宏伟志向，勇于自主决策，面对挫折不屈不挠，不轻言放弃。成功之际，他保持谦逊低调；挫败之时，亦不失希望与勇气。他从不抱怨命运，从不哀叹时运。遭遇艰难险阻，他总能独辟蹊径，迎来转机。他始终秉持“爱党、爱国、爱民”的坚定信念，克服重重难关。为了成就一番事业，他勇于担当，勇于挑战艰巨任务，迎难而上。他树立志向，持之以恒；明确目标，为人生指引前行之路。

“若无佛心之慈悲，不可行医；若无仙才之卓越，亦难为医。”世人未曾见过真正的“佛”与“仙”，但我们目睹了吴孟超医生的慈悲为怀，全力以赴。他要“把病人一个个都背过河去。”

吴孟超踏上从医道路，步入医学领域，深得恩师裘法祖教授影响，不只是医术的传授，还有医德的熏陶。吴孟超常说裘老师的话——医术有高低，医德最要紧。

为医的仁爱之道与为人的关爱情怀，使吴孟超受益良多。数十年从医生涯，他始终尊师如父母，视病人一律平等，待战友胸怀坦荡，对学生乐于奉献。“为医者，至少要具备三种品格：无欲无求的献身精神，治病救人的服务精神，求实求是的科学精神。”这些精神在吴孟超这位医学大家的身上得到了充分的展现。

岁月匆匆，人生如此匆促。《庄子·知北游》中说，“人生天地之间，若白驹之过隙，忽然而已。”从二十岁的青春时光到古稀之龄的50年，大抵便是人一生中最重要的时间了。人的一生应当追求什么？吴孟超所追求的是，与国家同呼吸，与病患共命运，唯有将每位病人视为亲人，才能在服务大局中成就个人价值。

吴老是健康的人！健康有两重含义：包括了心智和体魄的双重健康。

无论世事如何变化，五千年优秀的中华传统没变，勤俭、忠义、谦让、孝顺是经久不衰、历久弥新的美德，圣人与贤者更是珍而视之。凡是成就卓越的人，大多是心理健康、品德高尚的人。吴孟超就有这种深厚的学养，以德行为先，以道义为本，以礼数为度，而非单纯依靠技艺、谋略或权势，来成就事业的辉煌。

2005年冬，吴孟超被推荐参评国家最高科学技术奖。上级部门派人来进行考核，确定第二天上午与他谈话。单位考虑这是大事，取消了原定由他负责的手术。吴孟超得知后，坚决主张手术按时进行。考核组的成员不免好奇：是一位什么样的病人如此重要？

下午谈话时，考核组的同志了解到了详情。原来，吴老坚持不能改期的手术病人，是一位来自河南的农民，病很重，家里穷，乡亲们凑钱才到了上海治疗。多住一天院，就多支付一天的住院费，对这位病人和家属来说，都是负担。虽然吴孟超对考核组的同志感到抱歉，仍然选择了如期手术。考核组各位成员不由肃然起敬，这种崇敬源自内心深处。单凭这件看似平常的小事情，便足以给予高度评价。从中，我们亦可窥见这位国家最高科学技术奖得主那最为健康的心理状态，以及最具吸引力的人格魅力！

吴孟超一直都是这样，把病人的生命视为至高无上，把老百姓的福祉看得高于一切！他是一位与病人肝胆相照、与医学科学事业肝胆相照、与人类健康生存肝胆相照的人！

唯有这样杰出的大医，才值得被高度赞扬，才应该名副其实地获得国家最高科学技术奖！

说到吴孟超的强健体魄，数十年勤勉，使他练就了过硬的“站功”“忍功”“憋功”，进行一台大型手术，往往需要连续站立七八个小时，忍受饥饿不得进食，即便术前喝水再少，也很难坚持七八个小时不排尿。

耄耋老人何以拥有如此敏捷的思维、前瞻的见解、旺盛的活力，到底有什么秘诀？吴老诚实地揭秘，之所以体魄健康，与他注重养生关系密切，而养生秘诀就是，“心态平衡，脑子常用，手脚常动，管住嘴巴，定期体检。”

他曾用毛笔端端正正写下这二十字的养生秘诀以赠予他人。真是一位可亲可敬的智者！

这同他一辈子行善积德、为人慈悲、拥有贤内助与和睦的家庭息息相关，使得他内心充满欢喜、面容愉悦、乐观积极。

尽管年华在渐渐老去，吴孟超对科学事业的执着与热情却从未减少。毕竟，要“攻克癌症”的目标还没实现。他知道：时光流转，衰微的只是肌肤；如果抛却热忱，灵魂难免颓唐；忧烦、惶恐、丧失自信，必然导致心灵扭曲，意志消沉；生命短促，攻克肝癌的任务繁重，还有许多事情要做，分秒必争！

这便是激发吴孟超满怀勇气的根本所在。

奠定了人格的基石，做事做学问自然水到渠成。在遴选研究生时，吴孟超对“做事”的要求独树一帜。他坚信，想投身医学临床与科研的人，首先得怀有“想做事”的热情，然后才是掌握“能做事”的技能，锤炼“做成事”的实力。吴孟超自己在做事方面是独具特色的。

身为一位具备战略眼光的医学科学巨匠，吴孟超的行医生涯中，“精”字为先。这意味着需掌握卓越的技术，毕竟医学乃“极精极微之领域”，要求行医者“穷究医学本源，勤勉精进，永不停歇”。故而，他行事时极为注重“不断精进，力求完美”。

吴孟超倾注心血创建的独立建制的肝胆医院，其核心愿景在于培育青年才俊。他独具慧眼，吸纳了众多热爱肝胆学科的杰出青年，对他们既严格要求，又满怀热诚，把自己的品德、知识与才能倾囊相授。他还积极创造良好条件，助力学生站到自己的肩膀上，以更高的视角、更远的眼光超越自我，从而壮大肝胆医学科研与临床团队，为无数肝癌及其他形形色色的肝胆疾病患者带来福音，从“死神”的魔爪中抢救更多生命，实现“大医精诚”的理想。这正是他遵循恩师裘法祖一再叮嘱的“把病人一个个背过河去”的生动实践。

“三重关系”强

为了打造一支兼具医德与医术的团队，吴孟超始终勤勉不怠，以身作则。

他与研究生之间建立起了三重关系：

第一重是人格平等的师生与战友关系。

第二重是公事公办的互信、传承与教学相长的关系。

第三重是师徒关系。

吴孟超的学术团队构建了和谐的师生关系，让学生可以愉悦地探索知识、追求学问，扎实掌握临床与基础科研的真功夫。任第二军医大学副校长八年的岁月里，吴老每天早出晚归，可以说是忙得脚不沾地，却仍坚守临床前沿，紧抓基础科研不放手，成果频现，以实际行动诠释了身教胜于言教的真谛，令同事与学生敬佩不已。

由吴孟超所领导的肝胆专科医院成了摇篮，成了温床，培育了众多从事肝胆外科临床与基础理论研究的医生和医学家，承担了培育人才以及继续教育的重任。他宛如一位勤勉的园丁，将精湛的医术与深邃的医学知识播撒至华夏广袤大地，乃至世界的每一个角落。

源自东方肝胆外科医院，众多杰出的肝胆外科研究人才与手术人才脱颖而出，他们多数已经成长为国内肝胆现代医学界的精英，独立开展卓越的诊断与治疗，成为肝胆学科领域的“科研先锋”。无疑，领军人物吴孟超院士，能够自豪并自信地宣称，东方肝胆外科医院为中国肝胆外科界输送了大量人才。

吴孟超对于肝胆医院的管理、学术发展、人才培养及科研创新等方面的综合构建理念，在福建、浙江、江苏、山东、湖南、四川等地已初步显现积极影响，当地的肝胆病人无需再长路迢迢地跑到上海求诊。这无疑是大医给予病患的重大福祉。吴孟超老先生确实以其行动，广施恩泽，惠及全国。

婴幼儿肝胆外科

1983 年春，一对来自浙江的渔民夫妇抱着才 6 个月大的女婴，赶到第二军医大学第一附属医院（长海医院）肝胆外科来向吴孟超医生求助。女婴腹部长了一个硬硬的包块，四处求医无门，正当焦虑无助之际，一位儿科医师为他们指引了方向——向人民解放军军医吴孟超求救，以挽救这幼小的生命！

吴孟超立刻为女婴进行检查，确诊腹内肿块为“肝母细胞瘤”。这是一种常见于 3 岁以下儿童的肝脏恶性肿瘤，多数患儿是家长在无意间触及腹部肿块而就医。鉴于该病症临床表现不明显，导致半数以上患儿确诊时已失去手术切除的最佳时机。肝母细胞瘤的成因可能与胚胎发育过程中肝脏细胞的异常增生及分化有关。在肝脏原发性恶性肿瘤中，肝母细胞瘤占据了约 50% 的比例。

若不即刻施行手术，仅 6 个月大的小生命注定无法存活；然而一旦手术，婴儿孱弱的体质与纤细脆弱的血管，恐怕难以承受。尽管吴孟超有 20 多年的肝外科手术经验，却从未面对过如此年幼患者的肝脏手术。难度肯定不小，后果难以预测。

如何抉择？着实令人为难。望着孩子父母的满面愁容，听着他们恳切的哀求，他又一次心生怜悯。

医生的神圣使命是竭尽全力地挽救生命。当一个稚嫩的新生命甫一来到世间便面临病魔的侵袭，而身为医者却无能为力，这无疑是深沉的哀伤。如果漠然置之，便是难以饶恕的罪过！故而，无论风险多么大，为女婴施行手术势在必行。吴孟超安慰渔民夫妇，定会竭尽全力救治。

吴孟超把想法告诉同事们，大家都为他担忧。然而他坚定又执着，一定要尽最大努力挽救女婴。不论何时，他始终在贯彻着“要把病人一个个都背过河去”。阐明缘由，他与团队成员共同设计详尽且贴合婴儿生理特点的手术计划。吴孟超主刀，张晓华、吴伯文等协助，于 5 月 23 日为这名 6 个月大、体重仅 4 千克的女婴切除了 630 克重的肿瘤。肿瘤的体积惊人，比婴儿的脑袋还大！术后，吴孟超将患儿安置在重症监护室中。令吴孟超感到宽慰的是，这个小生命展现出了顽强的生命力，术后三天便能进食母乳，一周后，各项体征逐渐恢复正常，体重还增加了 1 千克。十天后，她的父母满怀感激地抱着康复的婴儿顺利出院。

吴孟超挽救了这名濒危的幼小生命，首度为婴幼儿成功实施切除肝母细胞瘤手术。这个消息迅速传播开来，美联社将这一病例作为震惊世界医坛的重要事件，立即进行了报道。这不仅仅标志着一例婴儿肝脏手术的成功，更开创了小儿肝外科领域。

随后，吴孟超团队再次出手，为一名 7 个月的婴儿切除了 800 克重的肿瘤，为一名 12 个月的婴儿切除 900 克重的肿瘤。吴孟超在小儿肝脏外科领域的研究与临床实践中，事例多得不胜枚举。

短短两年时间内，吴孟超率先进行的小儿肝脏外科研究与临床实践取得了显著成果，成功为数十位 4 到 12 个月的婴儿切除了肝母细胞瘤，其中最大的肿瘤重达 1 300 克。除一例在术后两年不幸去世外，其余都健康存活至今。这一系列手术的成功再次让中外医学界为之震撼。这也充分证明，吴孟超已在婴幼儿肝胆外科领域开辟出了一条独特的科研与临床道路，初步建立起婴幼儿肝胆外科的学术体系。

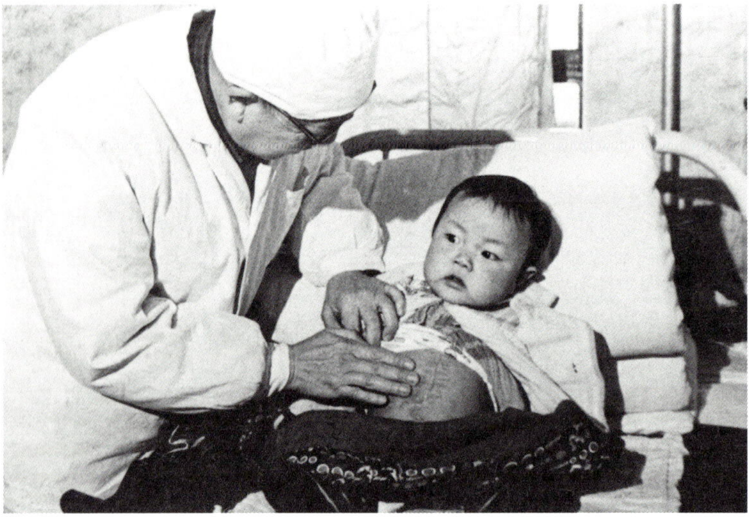

吴孟超给手术后的患儿做检查（东方肝胆外科医院提供）

2011 年 10 月 13 日，吴孟超亲自主刀，成功为江苏省射阳县一岁半的孩童切除了 8cm × 6cm 的肝母细胞瘤。这是上海吴孟超医学科技基金会设立的“小儿肝脏肿瘤治疗专项基金”资助的第一位贫困患儿。这位叫小玥的小患者手术医疗费用获得了全额资助。吴孟超强调：“小儿肝脏肿瘤治疗专项基金会一直延续下去，我们要用爱心托起明天的太阳！”

吴孟超所创立的婴幼儿肝胆外科，不仅是医学领域的一个新兴学科，更是一项充满希望与光明的阳光事业。

1983 年 10 月，肝胆外科自普通外科中独立出来，正式确立编制，成为独立科室，摆脱了长久以来“科中科”的尴尬局面。这一变革是肝胆外科学科发展的必然趋势，也得益于吴孟超团队所取得的一系列卓越成就。

12 月，根据中国人民解放军总后勤部的任命，吴孟超担任了第二军医大学第一附属医院肝胆外科主任。随后，他带领团队在肝胆外科领域持续取得了不少成就，交出了一份份耀眼的成绩单：成功实施小儿肝母细胞瘤手术治疗、利用术中 B 超定位诊断原发性肝癌、开展国产等离子体手术刀的动物实验及临床应用、实施不开胸右半肝切除术、采用腹水穿刺液石蜡切片技术以及肝动脉栓塞或结扎治疗肝海绵状血管瘤等多项新技术与新疗法。

第五篇

大医的精神之光

高峰待攀，大爱需传。吴孟超，这位胸怀病患的大医，言辞铿锵：“我的所有技术属于人类，我吴孟超没有专利！”他确确实实将自己的创新智慧与临床心得毫无保留地奉献给了世人。

第一章 甘为人梯育英才

地地道道的学者型副校长

1988年10月4日至5日，中德、德中医学协会第三届学术年会在第二军医大学隆重举行，参会人数400余人。此次大会由吴孟超任中方主席并主持，出席开幕式的嘉宾包括中国共产党中央顾问委员会委员钱信忠、上海市副市长谢丽娟、裘法祖教授、联邦德国驻沪总领事奥多尔博士和第二军医大学校长卢乃禾少将。论文《原发性肝癌宿主免疫系统变化及抗癌综合免疫治疗的实验与临床研究》，赢得了广泛赞誉。吴孟超所作的肝脏手术学术报告同样引起了与会专家的热烈反响。报告尾声，他特别致敬，“裘法祖教授是我的启蒙老师，永远是我学习的榜样！”此言一出，全场掌声雷动。与会专家无不对中国医界这对师徒大医的高尚医德、伟大人格深感敬佩。

遵循中央军委关于领导班子应具备革命化、年轻化、知识化、专业化原则的指导，总后勤部部长洪学智亲自走访第二军医大学，经过深入考察，他敏锐地察觉到吴孟超这位专家非同寻常的特质：纯真质朴，脚踏实地，勇于担当，且能力出众，能出色完成任务。这些品质正是他心目中理想的第二军医大学校长人选所必备的。于是，他坦诚地表达了自己的期望，希望吴孟超能勇挑重担，出任校长。

理性的吴孟超坦率回应，自己是医生，渴望留在临床。洪学智部长初闻此言，以为吴孟超是担心难以胜任，或是大专家固有的矜持与自谦。然而洪学智部长同样是一位极具决断力的领导，对吴孟超紧追不舍。你礼貌推辞，我步步紧逼，誓要攻克这一难关，甚至登门拜访，到吴孟超家中访问，还留下吃饭……大将军无疑是慧眼识人的伯乐！

旁人眼中梦寐以求的机会，吴孟超却毅然回绝了。因为他矢志不渝地想要"攻克癌症"的使命在肩，他要把"病人一个个都背过河去"的事业很重要，他明白这个志向需要很长时间来完成，也许需要付出一辈子的精力。一旦肩负校长的责任，时间与精力的分散，必然会干扰他的宏伟蓝图。吴孟超教授与部长一番商榷，达成的共识是吴孟超出任第二军医大学分管教研与外事的副校长，成了名副其实的学者型领导，同时继续担任长海医院肝胆外科主任。

吴孟超同意出任副校长，出于两个方面考虑：一是军人的天职是服从命令；二是副校长可以领导长海医院的临床与科研工作，这是挑战也是机遇。

1986 年 9 月 12 日，吴孟超出任中国人民解放军第二军医大学副校长，分管科研与外事工作，同时兼任长海医院肝胆外科主任。八年后，他卸下副校长重任，全身心致力于挚爱的肝胆事业。他以满腔热忱投身于与肝癌抗争的手术台与实验室，怀揣宏愿，立志创建一所中国人自己的、集临床医学与基础理论研究为一体的肝胆外科专科医院（即后来的东方肝胆外科医院与东方肝胆外科研究所——集临床医学与科研为一体的新型肝胆医学中心）。他怀抱雄心，计划在时机成熟时，构筑更广阔的学术殿堂——第二军医大学第三附属医院，并建立起中国肝胆科学研究中心，既服务于教学科研，又助力培育更多高品质医学科研专才以及仁心仁术的好医生、医学大家，以实现"攻克癌症"的壮志。十数载光阴流转，他携手几位威望卓著的院士，联名上书国家，申请资金，为筹建更大规模的临床与科研平台而不懈呼吁。耄耋之年，仍为办学，也为搭建新的临床与科研相结合的大平台而奔走呼号。这份执着与赤诚，堪比当年以募捐兴学的山东先贤武训先生！

在吴孟超担任副校长的八年里，第二军医大学在科研领域及国际交流上均取得了显著进展。老人家一直担着行政、科研、教学与临床四副重担。工作繁忙，让他养成了快节奏的生活模式，并且一直延续着。

吴孟超每天清晨就赶往学校，在办公室审阅文件，处理当日要务，9 点钟前往肝胆外科去查房或手术。午饭后即刻回到副校长办公室，持续工作到下午 4 点左右，再次返回肝胆外科查房、读片或规划次日手术方案。偶尔，他正在开会，手术室求助电话打过来，立刻请假，疾步奔向手术室。他始终牵挂着临床一线，心系病患。

“我吴孟超没有专利”

1986 年 11 月，吴孟超领衔的“肝脏疾病手术治疗的临床研究”荣获国家科学技术委员会颁发的科学技术进步奖一等奖。

1986 年 12 月 31 日，中国人民解放军总后勤部批转卫生部《关于全军医学专科中心建设情况的报告的通知》，对部分医学专科中心进行调整，第二军医大学肝胆外科中心升级为研究所。尽管只是名称由“中心”改为“研究所”，但这标志着吴孟超在肝胆外科基础理论研究方面获得了更有力的支持。

1987 年 3 月 15 日，《解放日报》头版头条刊发了题为《勇闯肝脏外科禁区　攀登科学技术高峰——吴孟超教授从医 30 年业绩非凡》的报道，同时在二版用半版发表了长篇通讯《他在禁区攀登——记第二军医大学副校长吴孟超教授》。该报在全国率先推介了吴孟超的事迹，并在头版配发了中央军委副秘书长、中国人民解放军总后勤部部长兼政委洪学智将军的署名文章《坚韧不拔　攀登科学技术高峰》，对吴孟超的事迹给予了高度评价。

文章公开发表后，引起了强烈反响，众多国内媒体转载了这两篇报道。

攀登高峰，播撒大爱。吴孟超作为一位时刻牵挂肝胆病人的大医，他的大爱之心并未局限于大都市的军民，而是同样深切关怀着老少边穷地区的医疗卫生状况。1988 年 8 月中下旬，他应新疆军区 23 医院之邀前往支援，短短 13 天中，成功为 11 例新疆少数民族肝胆疾病患者实施了手术，并举办了 6 次专题学术讲座，听众累计超过 500 人。8 月 22 日，在伊犁，为了满足病患与医务人员的热切期盼，吴孟超连续做了几台手术，直至次日凌晨两点多，才完成最后一例，而次日他仍然按计划照常讲课。

为了广泛传播“吴氏刀法”，加速肝癌患者的救治过程，吴孟超接纳了来自各地的众多进修医生，致力于为各医院培养肝胆外科精英。来长海医院求治肝胆疾病的患者接连不断，有的不远千里而来，为的就是找吴孟超求治，甚至乞求着“吴老的手摸一摸，我死也甘心了。”

我国是肝癌高发区，占全球每年肝癌发病人数近半，单凭一位名医或一所医院，难以满足病人的需求。吴孟超清楚地知道，个人的本事再大，医术再高，也只是汪洋大海中的一滴水，能救助的病人毕竟有限。唯有将他的手术技艺传播出去，遍地生根，各地医院都能成功施行肝胆外科手术，才能分流众多病患。这样既免除了病人的往返奔波之苦，又缓解了经济压力，同时长海医院和他本人也可腾出更多时间和精力，进行深层次的科学探索。

为此，各地多家医院派医生来长海医院培训肝胆外科，吴孟超忙得不可开交，心下却欢喜。他还不辞辛劳地亲临宁波等地传授专长。他的核心理念清晰而坚定：构建一个更大的医疗团队，携手“把病人一个一个都背过河去。”

同行难免对吴孟超的做法感到匪夷所思，凭本事立足的人，应有所保留，不然何为“独门绝技”？而吴孟超却慷慨地将“吴氏刀法”的精髓倾囊传授给了渴望投身肝胆外科事业的医疗工作者，那么他今后靠什么展示自己的专长？吴孟超的回答铿锵有力：“我的所有技术属于人类，我吴孟超没有专利！”

吴孟超确实毫无保留地贡献了自己的创新理念和临床实践经验，查阅他同时期的论文与科普著作，便可见一斑。

吴仲华院士夫妇与吴孟超相识相知的故事

1991 年，吴孟超接获中国科学院的喜讯，荣幸地成为中国科学院第二批被增选的学部委员，是生物学部增选的 34 名学部委员之一。这一殊荣，标志着国家最高科学机构对吴孟超在肝胆医学领域学术地位的认可。

依据 1990 年中国科学院学部委员推荐的规定，具备被推荐为学部委员候选人资格的国内一流学者，需获得至少两位学部委员的联名推荐。吴孟超即由一对学部委员夫妇共同推荐。他们两位都是很不平凡的大科学家——工程热物理学家吴仲华（1957 年增选为中国科学院学部委员）与固体力学家李敏华（1980 年当选为中国科学院学部委员）。

吴孟超作为肝胆医学领域的权威，与工程物理学专家吴仲华、李敏华夫妇学科背景相差甚远，怎么会有交集呢？

故事还得从吴仲华院士夫妇与吴孟超相识相知说起。

吴仲华院士于 1917 年 7 月 27 日在上海出生，中学曾就读于上海格致公学，16 岁后转赴南京金陵中学完成高中学业。1935 年，他顺利考入清华大学机械工程系，1939 年前往昆明的西南联合大学进一步学习，1940 年毕业后留校执教。

李敏华院士于 1917 年 11 月 2 日出生于江苏吴县一大户人家。她早年就读于苏州振华女校，后随家迁居上海，转至务本女子中学继续学业。1935 年，她成功考入清华大学化学系，两年后，转系至航空工程。1940 年毕业后，她选择留校任教。

1943 年，吴仲华和李敏华结成伉俪。同年 11 月赴美，在麻省理工学院攻读博士学位。1947 年吴仲华以优异成绩获科学博士学位，李敏华于 1948 年成为麻省理工学院航空系第一位女性工程博士。1954 年底，吴仲华阖家四人回到北京。吴仲华到清华动力系任教授、系副主任，李敏华教授因专长于塑性力学，进入中国科学院力学研究所工作。1957 年，吴仲华同吴文俊、钱学森、郭永怀等 18 位科学家被增补选聘为中国科学院学部委员，是被中国科学院技术科学部增补选聘的两名学部委员之一。也是这一年，李敏华和吴仲华的研究成果分别获得了 1956 年度国家自然科学奖三等奖和二等奖，成为唯一一对同时荣获国家级自然科学奖的夫妇。1980 年，李敏华教授当选为中国科学院学部委员。

1987 年，吴仲华在年底的体检中发现患了肝癌，体积很大，且血管情况复杂。在为他首诊的北京医院吴蔚然教授推荐下，他们决定回老家上海治疗。之前吴仲华夫妇就了解到上海长海医院的吴孟超教授技术高超，正主持着长海医院的肝胆外科临床与科研工作，是世界著名的肝胆外科专家，更坚定了回上海治疗的决心。

在其他医院都不敢接受的情况下，吴孟超毅然决然地接下了为吴仲华进行根治性手术的重任，这无疑需要承担巨大的风险。更具挑战的是，术后吴仲华要去美国讲学四个月，这无疑给手术医生带来了巨大的压力。吴孟超在第二军医大学副校长的任上，负责科研、临床、教学、外事与其他行政管理事务等，多副重担一肩挑，压力很大，但他仍对吴仲华的治疗与手术倾注了极大的关注，无论多忙，每天傍晚都会亲自探视吴仲华的病情。李敏华与吴仲华同时住入长海医院的肝胆外科病房，使得她有机会近距离观察吴孟超的为人处世与医术，亲眼见证了这位小个子医生医德、医术双馨。因此，吴仲华这台极具挑战性的肝癌切除手术，便放心地交由吴孟超教授亲自主刀。作为受托医生，吴孟超在给病患进行了全面细致的检查后，制定出了一个详尽周密的手术方案。手术最终大获成功。

中国科学院生物学部委员

吴仲华秉持着独到的科学理性与人才评判准则。经过数周的住院体验，他深刻体会到了长海医院肝胆外科团队的敬业精神，领略到了学术团队领头人吴孟超教授的崇高医德，更洞察到吴孟超教授深厚的学术功底与精湛的手术技能。住院期间，他与吴孟超多次深入交流，话题涵盖医学与人生，意外发现彼此竟有着相似的坎坷经历，不禁感叹相见恨晚！在了解了吴孟超教授的思想深度与学术广度后，吴仲华萌生了推荐吴孟超教授为中国科学院生物学部委员候选人的念头。这一想法立即得到了夫人李敏华的默契共鸣。作为一位大学者，李敏华不仅是冷静的旁观者，还私下探访并听取医院及病患的反馈，同时在第二军医大学图书馆查阅了吴孟超发表的论文，细致研究了吴孟超的学术贡献，以及他所引领的一系列前沿基础与临床科研工作。她确信，吴孟超在肝胆领域，尤其是肝癌手术方面所构建的理论与技术体系，在国内外均处于领先地位。吴孟超教授的品格与学术造诣令她由衷敬佩。

有一次，吴孟超去查房，吴仲华提出让吴孟超考虑一下当学部委员的事。吴孟超听了有些蒙，不知道什么是学部委员。吴仲华解释，中国科学院学部委员是我们国家最高的学术荣誉。可是怎么才能当呢？吴仲华告诉吴孟超，要由两名学部委员推荐，并且恰好自己和妻子李敏华是学部委员，愿意推荐。

吴仲华夫妇之所以力荐吴孟超，是折服于吴孟超深厚的学术功底、卓越的手术技能和高尚的人格魅力。身为中国科学院主席团五位执行主席中的一员，吴仲华肩负重任，有义务推荐他认为合乎标准的候选人加入中国科学院学部委员之列。

吴孟超将对话内容汇报给第二军医大学领导，得到了全力支持。申报填表，赴京答辩……一切都按部就班地进行。

1991年11月28日，历经中国科学院全体学部委员多番严谨评审与选举，并上报国务院批准后，第二军医大学副校长、肝胆外科主任吴孟超教授被选为中国科学院生物学部委员。

在成为中国科学院生物学部委员后，吴孟超渐渐领悟到这一荣誉的厚重与责任的重大，它不仅是国家在科研领域的至高学术称号，更具有崇高的学术权威性。中国科学院学部委员这一群体，彰显着当今中华民族科学界的水准与威望，堪称国家顶尖的自然科学智囊与顾问团体。

学部委员的称号犹如一股强劲的动力源泉，为吴孟超在探索“攻克癌症”的科研道路上注入了巨大的能量。

内心平静下来，吴孟超心中涌起了惭愧与不安。他深感自己作为裘法祖教授的学生，所取得的成就不过是裘师智慧海洋中的一滴水。自己已经成了中国科学院学部委员，而恩师裘法祖却尚未获得此荣誉，他不免深觉遗憾。

1992 年去北京参加学部大会期间，吴孟超专程拜访了学部委员吴阶平，倾诉了自己内心的不安与惭愧。吴阶平对“中国外科之父”裘法祖的为人及其卓越的学术成就有着深刻的认识。在听了吴孟超的想法后，吴阶平立刻表示赞同，并提出联手推荐裘法祖。

1993 年，经过多轮严格评审，已 79 岁的裘法祖教授被中国科学院生物学部遴选为学部委员。这一荣誉不仅映射出吴孟超乐于担当伯乐与尊崇师德，以及铭记“滴水之恩当涌泉相报”的高尚品质，还深刻揭示了吴孟超在事业有成背后所秉持的为人处世之道。

吴孟超与恩师裘法祖院士（东方肝胆外科医院提供）

第二章　创建东方肝胆外科医院

“吴氏人才反应堆”

为了达成救治更多肝癌患者的愿景，自 20 世纪 70 年代末，吴孟超年年都积极招收硕士和博士研究生，持续壮大其核心研究团队。随着早期毕业学生的成长，他们开始协助吴孟超为后来入学的研究生讲授基础理论或进行临床带教，这如同“滚雪球”，逐渐在肝胆外科领域汇聚成一支由吴孟超领衔的、专业精湛且人才济济的科研团队。

这件事倾注了吴孟超大量心血与时间。特别是七十岁以后，他更是感慨良多，岁月不饶人，自己年纪大了，身手灵活的日子越发珍贵，只能一天当作两天用。假如有一天真的在手术台前倒下，此生也算无愧于心。这番言辞虽然显得悲壮，却质朴无华，情真意切，饱含着“一生利他”的深情。这正是他的人生信念，彰显了他将宝贵生命与神圣的医疗事业紧密相连的敬业精神，以实际行动诠释着行医的“精诚”，矢志不渝地履行着医学生誓言。因此，他迫切期望培养年轻人，使他们早日成才。若缺乏无私奉献的精神，缺乏识人用人的眼光，不善于借助外力（甚至国外专家的力量）的智慧，以及在细节上的亲力亲为与无微不至的关怀，要想锻造一支精英团队，无异于空想。

1990 年 12 月 9 日至 11 日，于北京举行的中华医学会第五次全国中青年医学学术交流会（普通外科）上，他弟子的卓越风采，让这位备受尊敬的学界泰斗深感自豪与欣慰。

吴孟超知道这次学术交流是汇聚各界精英人才的宝贵契机。身为导师，他立志效仿昔日恩师裘法祖教授的育人之道，竭力为弟子们争取更多参会名额，让他们可以在全国性的竞技舞台上大展拳脚。故而，他要求所有符合参会标准的学生，依据各自研究项目撰写出高质量的论文，并亲自逐篇审阅严格把关。这届中青年医学学术交流会旨在考量我国医学界接班人的能力，为中华医学 21 世纪的发展培养坚实的后备军。因此，全国各地的医学专家对此次年轻才俊的学术盛会都极为重视，纷纷携得意弟子参会，使得学术交流会呈现出中青年医学人才济济一堂的盛况。

吴孟超携八名研究生共赴北京参会。为确保会议的公平性与权威性，会议采用了科学且严格的组织流程，旨在为中青年学者提供一个公平的竞技舞台。会议明确规定：所有论文均需匿名编号，如同正规考试般隐去作者和导师的姓名；论文审核严谨，先对全国各省市医学会所推荐的 700 余篇论文分组初筛，严格把关后，选出 112 篇，再送京由大会专家复审，每篇论文均需经过双重考验。无疑，这既是一场激烈的学术比拼，也是一次对医学素养的大考核！

经过初步分组筛选，由包括黄萃庭、裘法祖、黎介寿在内的 31 位享誉海内外的专家进行最终评审，吴孟超指导的研究生团队提交的 8 篇论文全部通过。初战告捷，极大地鼓舞了八位学生的士气，他们无暇休息，立即投入到第二轮论文宣读与答疑的紧张准备中。

宣读论文的时候，吴孟超静坐在听众之中，默默给予他们鼓励。最终评审揭晓，成绩斐然，8 篇论文悉数获奖，包括 3 篇一等奖，2 篇二等奖，3 篇三等奖。丛文铭的《早期肝细胞癌病理生物学特性的动物实验及临床研究》、孙君泓的《大鼠肝、肾联合快速获取的研究》、殷正丰的《豌豆凝集素在肝癌诊断中的应用》荣获一等奖；屠振兴的《甲胎蛋白异质体对肝癌诊断的前瞻性研究》和张世民的《MTX- 拟糖蛋白的合成及其对肝癌细胞的作用》赢得二等奖；其余三篇论文则收获了三等奖的佳绩。

吴孟超教授的学生们，在全国中青年医学学术交流会上大放异彩，一举夺得团体桂冠。当结果揭晓，与会者方才惊觉，那些佼佼者竟全部出自吴孟超教授门下，来自第二军医大学长海医院的肝胆外科。小小的“肝胆外科”夺得众多奖项，自然成为了众人瞩目的焦点。这不仅是吴孟超教授长期亲自培育人才辛勤耕耘的结果，也是其教育智慧的体现。与会专家赞誉他们为“吴氏人才反应堆”。

“东方肝胆人”的职业习惯

在肝胆外科领域，特别是肝癌治疗方面，吴孟超的大名可谓是家喻户晓，无人不知。早在 20 世纪 80 年代，施乐华在大学求学时期，就研读过吴孟超教授的著作，对这位名医仰慕已久。硕士毕业后，步入工作岗位数载，他一直怀揣着报考吴孟超博士研究生的梦想，却又心存顾虑：自己身处基层，且非军队系统出身，而吴教授声名赫赫，门槛一定极高，要想拜入他的门下，恐怕难如登天。几番思量后，他鼓足勇气，于 1989 年给吴孟超教授写了一封试探性的信件。出乎意料的是，没过几天，他便收到了吴孟超教授的亲笔回信，字里行间透露出的亲切与和蔼，令他倍感温暖。

信中，吴孟超不仅阐述了肝胆外科未来的发展方向，还深情地表达了对年轻一代的厚望，其热切求贤之心展露无遗。施乐华反复品读，深受触动。1990 年毅然报考了吴孟超的博士研究生。凭借其出色的学业成绩，施乐华顺利成为吴孟超肝胆外科的博士研究生，多年的梦想终于成真。那一年，吴孟超仅录取了一名博士生，三名硕士生。

在读博期间，施乐华有幸得到吴孟超的精心栽培与持续扶持。他的研究重心聚焦于临床医学，具体的研究课题——肝癌的导向治疗，又称“生物导弹”，正是由吴孟超亲自为他选定的。该课题曾被列为“国家高技术研究发展计划”（简称 863 计划）重点课题。在研究过程中，吴孟超引领他跨越了一个又一个障碍，使得研究能够持续取得进展。

1993 年 6 月，施乐华迎来了博士论文答辩的关键时刻，这一环节将决定他能否获得博士学位。出于对弟子未来发展的高度责任感，吴孟超提前整整一周便完成了对施乐华论文的审阅与修改。答辩前一天，他仍感不够踏实，再次复核了实验数据，并细致入微地检查了文字表述、标点符号乃至语法、修辞、逻辑等各个方面，力求让施乐华的博士论文臻于完美，减少任何可能出现的瑕疵。

次日上午，答辩即将进行。吴孟超早前获邀，需进京出席一个重要会议，已经定下上午的航班，然而身为导师的他，对施乐华的答辩很是挂念，把机票改签到了下午 1 点半。

论文答辩于上午 9 时准时开始，施乐华宣读论文，随后，与会专家一一提出问题，施乐华逐题精准解答。论文之深奥，提问之高远，辩答之精彩，伴随着时间的滴答流逝。吴老始终端坐，聚精会神地倾听，好像全然忘记了午后即将乘机赴京开会的行程。秘书李捷玮在答辩室外焦急张望，不时看表，生怕误了航班。论文答辩终于结束，吴孟超起身，向在座专家拱手致谢后疾步而出。此时已近中午 12 点，而第二军医大学距虹桥机场有数十里路程，吴老不顾饥肠辘辘，乘车风驰电掣般向机场疾驰……

施乐华不负恩师吴孟超的悉心栽培，其主导的“双功能单抗治疗肝癌的研究”等项目成功获得两项国家自然科学基金的支持，研究成果振奋人心，为肝癌治疗开辟了除手术之外的又一关键辅助路径。东方肝胆外科医院成立后，施乐华有幸担任导师吴孟超的协理，被同事称作“住院总医生”。

沈锋教授于 1992 年获肝胆外科博士学位之际，国内军队人员赴美等西方国家留学一度很困难。然而，吴孟超院士仍极力推荐沈锋，并通过自己广泛的国际学术网络积极斡旋，终于促成沈锋于当年 8 月赴美国进修。

吴老在访美期间，还专程探望了沈锋，并就他的研究项目给予了富有洞察力的建议。

1994 年沈锋完成学业归国，担任了东方肝胆外科医院副主任医师，专注于原发性肝癌的外科和综合治疗领域的临床研究。他在探究肿瘤转移机理、T 细胞激活机制和肝癌免疫、基因治疗方面均取得了显著成就，先后荣获国家科学技术进步奖二等奖、军队科学技术进步奖一等奖、军队医疗成果奖一等奖和全国普外中青年优秀论文一等奖等多项殊荣。1996 年，34 岁的沈锋被中国人民解放军总后勤部遴选为“科技新星”。

沈锋常与恩师吴孟超一起工作，在一言一行中获得的教益和启示良多，因此对吴老的理解也远超其他人。沈锋认为，“吴氏刀法”远非单一的刀技或手术方法可比，它是一个蕴含高尚医德、精湛医术及独创精神的综合体系，唯有深刻领悟其内涵，才能真正掌握“吴氏刀法”。

1995 年某天，吴老带沈锋做一个肝切除手术。至肝创面缝合之时，作为一助的沈锋不慎将针深深地扎在主刀吴老的手上。众人皆知，缝合时主刀和一助配合稍有闪失，便容易把针扎在手上。若病人乙型肝炎病毒（HBV）阳性，被扎者感染风险极高。虽然吴老轻描淡写，沈锋仍然羞愧至极。一个月后，吴老进行常规体检，沈锋仍觉惴惴不安。吴老窥破其心思，笑着告诉他自己血液检查全是阴性。常在河边走，湿鞋是常事，被扎的时候多了，没啥。沈锋心中的那块石头才落了地。他既庆幸老师无恙，又为恩师宽广的胸襟与对后辈的宽容深感敬佩。

吴老在品德、行事、学术三个方面，都成了学生的典范。身为学校和医院的领导，身为一名德高望重的导师，吴孟超最为人称道之处是慧眼识才，量才而用。他时常给予研究生重任，期盼每位博士生都能在理论探索与临床实践中锤炼出真才实学。

姜小清追随吴孟超攻读临床博士学位时，东方肝胆外科医院已经成立并高效运作，吴孟超让姜小清担任医院协理医生，急诊、会诊、排班等工作都由他负责。

吴孟超非常关心病人，对医生尤其是研究生要求又近于严苛，更是身体力行，言传身教。步入耄耋之年的他，仍坚持每日亲自操刀两三台手术，并高度重视病人的术后护理，规定主治医师与住院医师每晚须向他详细汇报术后病人的状况。每晚 9 点左右，是他听取汇报的固定时段，即便家中再忙，电话一响，他准会立刻接听，一旦有情况，就立即赶往医院处理。

1997 年某晚，姜小清发现有位病人术后渗血量较大且持续不止，他立刻电话向导师汇报。吴孟超告诉了姜小清应急措施并叮嘱每隔半小时报告一次病人状况。病人渗血还是持续，姜小清只能频繁往吴老家里打电话。半夜 12 点，吴老赶到医院，为病人重新手术，直到凌晨 2 点才结束，终于排除了渗血隐患。凌晨 3 点，吴老回家。次日早晨，他又准时出现在工作岗位。彼时，他已是 75 岁高龄。

这是最生动的医德教育课。

在吴孟超的影响下，肝胆外科的医生们，无论是否值班，晚上都会习惯性地去探望自己负责的病人，发现问题立即处理，这已经成为“东方肝胆人”的一种职业自觉和默认的行事准则。

长海“院中院”

1974 年，第二军医大学在西安时，肝胆外科虽已挂牌却仍隶属于普通外科，被戏谑为吴孟超创办的“科中科”。1978 年，长海医院正式成立了独立的肝胆外科，此为全国之首，吴孟超任科主任，标志着我国医学界肝胆外科独立建制的历史性突破。同年，长海医院肝胆外科迁至新楼，病床数量由初创时的 24 张增至 50 张。这一变迁无疑是吴孟超在肝胆医学领域取得的重大进展。

1979 年 3 月 5 日，中国人民解放军总后勤部卫生部计划在全军范畴内筹建多个专科技术中心，吴孟超率先申报设立肝胆外科技术中心，并顺利获得总后勤部批准。随后，他领衔在第二军医大学建立了肝胆外科中心，该中心坐落在长海医院，为肝胆外科事业的推进奠定了坚实的基础并营造了持续发展的氛围。这一里程碑式的事件被视作吴孟超肝胆事业生涯中的“第一次腾飞”。

与此同时，吴孟超着手规划研究生的培育体系，他深知：事业的发展，人才最重要。此外，他深刻意识到，仅凭临床技术成就，肝胆医学难以长远发展。因此，他颇具远见地构建人才梯队，并着手成立一个融合肝胆外科基础与临床相结合的研究中心。

东方肝胆外科医院

1989 年，吴孟超 67 岁。3 月 1 日，吴孟超在中华医学会全国会员代表大会上，当选中华医学会副会长。27 日，第二军医大学对医学科学技术委员会进行了调整，新委员会由 67 名成员构成，吴孟超担任主任委员。4 月 4 日，总后勤部颁发通令，为肝胆外科研究所所长吴孟超记二等功。11 日至 14 日，总后勤部卫生部在第二军医大学组织召开了临床医学研究生转博考试现场会，国家卫生部学位办公室主任胡祖庭、总后勤部卫生部及七所医学院校有关负责人出席，会议对肝胆外科等临床研究生转博的实践给予了高度评价，并提出改进建议……更值得提及的是，同年总后勤部在第二军医大学进行工作检查时，专门组织了一场专家教授座谈会。轮到吴孟超发言时，他详尽阐述了自己关于筹建肝胆外科专科医院的愿景。

吴孟超的设想根植于严谨的科学论证之中。出席会议的首长和学校领导被吴孟超所展示的详尽数据及条理清晰的论述所折服，也被他的理想、胆识和真挚的情怀所触动，深感其展现出的科学探索的非凡勇气以及“仁心仁术”的崇高医德难能可贵。

吴孟超领衔的肝胆外科中心迅速破格升级为长海医院东方肝胆外科医院，成了长海医院的“院中院”。这一转变标志着吴孟超在肝胆外科领域实现了长久以来期盼的“第二次腾飞”。

1990 年，吴孟超提出扩大东方肝胆外科医院的规模以独立建制。他的构想得到了学校和医院党委的高度重视，一致认为是必要的，也是可行的。总后勤部对此予以大力支持，很快批准筹建独立的东方肝胆外科医院和东方肝胆外科研究所。

长海医院对面有一块农田，划归长海医院，后来成了东方肝胆外科医院的院址。

从 1992 年起，吴孟超为筹建独立的肝胆外科专科医院四处奔波。打报告、跑批件……光是硬件建设已让他费尽心思，这毕竟是他梦寐以求的事业，必须全力以赴!

1991 年末，吴孟超当选中国科学院生物学部委员。同年，经国务院学位委员会批准，第二军医大学建立临床医学博士后流动站，肝胆外科成了首批接收博士后研究人员的重点学科。翌年，东方肝胆外科医院的病房大楼建设项目正式启动。

1993 年 5 月 3 日，这座矗立于长海医院内的“院中院”及其研究所隆重举办了新大楼启用仪式，东方肝胆外科医院和东方肝胆外科研究所携手迁入新楼。1996 年 8 月，东方肝胆医院经批准正式建制，由吴孟超担任院长，同年实现自主营运，跻身三级甲等专科医院之列。

事业初创，肝胆外科以惊人的速度发展，病患需求激增，这幢 7 层大楼难以满足。满怀壮志的吴孟超再次筹划，计划在医院东侧兴建一座更新、更高、装备更为精良的综合性大楼，集临床诊疗、教学培训与教研探索于一体。

1997 年 8 月 31 日，新病房大楼正式奠基，历时两年八个月竣工。得益于工程项目招标制度的实施，在确保建筑质量的同时，有效实行了成本控制，最终节省了 2 500 万元的投资经费。

2000 年 6 月 7 日，新病房大楼正式启用。它巍然矗立于长海路上，成为一座醒目的地标建筑。凭借卓越的建筑质量，该大楼获得国家优质工程奖一等奖，还摘得了上海市建设工程“白玉兰奖”。

新病房大楼（右）落成时的东方肝胆外科医院（2000，东方肝胆外科医院提供）

2001 年，总后勤部正式批准，东方肝胆外科医院继长海医院、长征医院之后，列为第二军医大学第三附属医院、第三临床医学院。这标志着吴孟超在肝胆医学领域实现了“第三次腾飞”。

在长海路曾经空旷的土地上，一所令医学界瞩目的肝胆外科专科医院和肝胆科研中心拔地而起，其背后凝聚着一位七旬老人满腔的热忱，映射出一位医学大家与祖国、与人民肝胆相照、命运与共的深情厚谊。

第三章　“院所合一”有意义

模范医学专家

1996年1月7日，中央军委主席江泽民签署命令，将“模范医学专家”的荣誉称号，授予第二军医大学一级教授、东方肝胆外科研究所所长、中国科学院院士吴孟超。

中央军委以发布命令的方式，向一位知识分子授予如此崇高的荣誉，在我军历史上实属罕见。中国人民解放军总后勤部党委于1月14日决定，在机关及直属单位内，广泛掀起向吴孟超同志学习的热潮。并强调中央军委的命令“既是对吴孟超同志为医学事业作出卓越贡献的充分肯定和褒奖，也是对全体后勤官兵，特别是广大科技工作者的巨大鼓舞和鞭策。”

当吴孟超同志荣获“模范医学专家”称号的消息传到上海，第二军医大学的全体师生倍感荣耀和自豪，决心以昂扬的政治热情与饱满的精神风貌，深入推进学校的改革与发展。而吴孟超所在的东方肝胆外科医院和东方肝胆外科研究所的全体人员，更是群情激动，备受鼓舞。

胸怀鸿鹄之志的吴孟超（东方肝胆外科医院提供）

1 月 29 日，上海第二军医大学礼堂座无虚席，中央军委授予吴孟超同志“模范医学专家”荣誉称号的命名大会隆重举行。首先，中央军委委员、总后勤部部长王克上将代表中央军委宣读授予吴孟超荣誉称号的命令，并颁发“模范医学专家”奖状。王克上将号召全军后勤各条战线，特别是总后系统的广大官兵，要以吴孟超同志为楷模，致力于提升政治觉悟，坚守爱党、爱国、爱社会主义的坚定信念；强化事业心，深化对国防及本职工作的热爱与奉献；要爱科学，创造尊重知识、培育人才的良好风气；要牢记宗旨，培养全心全意为部队服务的职业道德。

中共中央政治局委员、上海市委书记黄菊，代表中共上海市委和上海市政府向吴孟超教授表示热烈祝贺。裘法祖教授宣读了全国人大常委会副委员长、中华医学会会长吴阶平的贺信。

“模范医学专家”表彰会（左）和奖状（右）（1996，第二军医大学礼堂，东方肝胆外科医院提供）

总后勤部政委周坤仁宣读了总后勤部党委《关于向吴孟超同志学习的决定》。第二军医大学政委傅翠和、上海警备区政委王传友、第二军医大学科技干部代表张宝仁教授等相继讲话。

吴孟超胸前戴着大红花，在热烈的掌声中发言。发言的关键词是“没有共产党，没有人民军队，就没有我吴孟超的今天”“像我这样的医务工作者，在我们学校、军队和国家有成千上万”。他衷心感激党和军队悉心栽培，以及在他成长道路上所有同事、师长与患者的帮助与支持。

大会还向吴孟超颁发了一级英模奖章，全场再一次响起经久不息的热烈掌声。置身于掌声和鲜花之中，吴孟超唯一的愿望是：老骥伏枥，志在千里；鞠躬尽瘁，死而后已。

4 月 8 日，经中国人民解放军总参谋部批准，第二军医大学长海医院肝胆外科改编为第二军医大学附属东方肝胆外科医院，行使正团级权限，编制床位 170 张。

9 月 10 日，第二军医大学举行东方肝胆外科医院领导班子成立大会，王庆舜校长宣读命令，吴孟超任东方肝胆外科医院院长。

桃李满天下

作为一位有时代担当的战略型医学专家，吴孟超深刻认识到肝胆外科领域任重道远。要紧跟医学科学日新月异的步伐，必须加大力度投入到基础理论与临床理论的研究中，这些都迫切需要大量青年人才。鉴于此，组建学术梯队，培养能担大任的年轻人，成了当务之急。因此，虽然临床、科研和行政事务让吴孟超忙得团团转，持续关注培养人才梯队仍然是他最核心的使命。

吴孟超尤其重视拔尖创新人才的培养。1978 年末恢复硕士生全国招考以来，第二军医大学由吴孟超主导的肝脏外科，已享誉国内外医学界，公认为肝胆临床与科研人才培养的核心基地。他亲自执导的硕士生、博士生和博士后大多已成为目前我国肝脏外科领域的骨干或精英。吴孟超领导的肝胆外科研究团队，汇聚了老中青三代人才，其中 90% 拥有硕士及以上学历，构成了一个技术精湛，人才密集的队伍，在国内外相关领域中，展现出罕见的科研实力和技术阵容。

1985年，肖飞教授加入了吴孟超团队，成了他的学生和助手。基于吴老言传身教，严格要求，放手培养的教学策略，肖飞获益匪浅。吴老的学生孙君泓博士，是澳大利亚国家肝移植中心的首席科学家。她于20世纪80年代赴美国深造，在肝胆外科学临床和移植免疫学研究方面很有建树，于20世纪90年代初应澳大利亚和新西兰移植学会创会主席谢尔（Sheil）教授的邀请，到澳大利亚工作。心系祖国的孙君泓在悉尼大学创建的显微外科实验室和科研基地，为中国培养了多位高级人才。她还携手澳华科技协会的同仁多次归国讲学，促进学术交流与合作，积极推动祖国“科教兴国”的战略。

东方肝胆外科医院肝外二科主任王义教授谈到恩师感慨良多。他刚到导师身边时，从发展方向到攻关课题，从学习书目到实验研究，从手术方案到下刀技巧，都是吴老亲自指导，言传身教。这让他受益良多，影响着他也像吴老一样对待学生。

综合一科主任施乐华教授记忆犹新的是，吴老在第一次交谈时，便明确提出了要‘会做、会说、会写’的六字基本要求。手术时的每一个动作，拉钩、打结、下刀、探摸、切除、缝合，事无巨细，吴老必定耐心指导，并鼓励学生们勇于实践，尤为重视培养复杂手术中的应对能力。

吴孟超对学生的要求近乎严苛，他一直强调，一名好的外科医生必须具备严谨、细致和耐心的医疗作风。

吴孟超的弟子，麻醉科的俞卫峰教授，是当年上海最年轻的麻醉科主任、“银蛇奖”得主。他说，在学术问题上，吴老的严谨和细致堪称极致。对于学生的投稿论文，一定认真审阅，对于夸大其词的表述，他毫不手软，果断要求修改或删除。“医学来不得半点虚假”，这是吴老非常认同的话。

杨甲梅主任提及，为了肝胆外科事业的持续发展，老师始终秉持着无私奉献、甘为人梯的精神。他的每位学生，无论年龄稍大的还是较年轻的，都能得到老师的指导。在各种场合，老师倾尽所能，为每一位学生提供锻炼和成长的机会。自1974年起，杨甲梅在吴孟超指导下工作，成为吴老的研究生后，还被送到美国深造两年。如今，杨甲梅已成长为特需治疗和肝移植科主任。在我国，率先开展了选择性肝动脉造影等技术，并在肝移植领域取得了显著成就，多次荣获国家和军队科技进步奖，以及上海市“科技精英”等荣誉。

1983 年，肝外五科主任杨广顺教授硕士研究生毕业，吴老不仅留下了他，还与相关部门商量，办好了他妻子调入上海的全部手续。他考取了吴老的第一批博士生，并选择了与临床密切相关的课题。1988 年，杨广顺获医学博士学位后，在吴老身边勤勤恳恳工作。2000 年获得了赴美国约翰·霍普金斯大学医学院进修的机会。之后，杨广顺任东方肝胆外科教授、主任医师、博士生导师，兼任全军肝胆外科专业委员会主任委员、上海市普通外科学会副主任委员等多项学术职务。在他所擅长的肝胆肿瘤的诊治和肝移植、原发性肝癌的临床诊治、原发性肝癌复发机制研究、肝移植的基础与临床研究等方面，都获得了骄人的成绩。

张柏和主任也曾提及，吴孟超不仅在品德、为人处世及学术研究上为学生倾注了满腔热血，还以近乎“父爱”的温情，细致入微地关怀着学生的日常生活。杨广顺的妻子调动时，他付出了诸多努力，对于其他几位面临夫妻两地分居难题的学生，同样不遗余力地帮助。

肝外一科的主任严以群教授写了一篇深情、幽默的《老师印象》，生动描绘了严师与高徒的交往细节。

胡和平教授是肝胆内一科主任，也学到了恩师吴孟超的真功夫。有一天，一位操着浓重地方口音的晚期肝癌患者来了，拿出厚厚一沓检查单子，向胡教授咨询保养和治疗的方法。为了给这位农民患者解答清楚，胡教授花了整整 40 分钟。在东方肝胆外科医院，像胡教授这样既有爱心又有耐心的医生举不胜举。他们说，要像恩师那样对病人有足够耐心，这样，即使不能挽救生命，也可以让他们对生活多些希望。

沈锋教授清晰地记得第一次跟着恩师吴孟超查房的情景。那是冬季的一天，进了病房后，吴老先把手捂暖了，才撩起病人的衣服做检查。沈锋早就养成了习惯，像吴老一样，冬天查房时，必须将手捂暖才做检查，离开时必然将病人的被角掖好，有时还顺带将床前的鞋子放整齐，下床时方便穿着。

在培育人才方面，吴孟超坚持因材施教和量才录用的原则。他认为，优秀人才必须放在最重要的位置，做到人尽其才。1986 年，丛文铭教授考取了吴孟超的博士研究生，初衷是研究肝胆学科的临床课题，但吴孟超慧眼识才，建议他转向肝胆病理研究。丛文铭欣然接受建议，全身心投入到肝癌病理学的探索中。多年的刻苦钻研，他成为了全国肝胆外科病理协作组组长，并以参与建成世界上规模最大的肝胆病理标本库，被认定为书写病理诊断“金标准”的专家。

丛文铭的科研轨迹透露出，早在 20 世纪 80 年代，吴孟超便开始搭建培养人才之外的第二个重要平台。这构成了他“攻克癌症”战略蓝图中的又一布局——吸引多学科人才组建实验室，深入探寻肝癌的发病机理。这一举措正是日后东方肝胆外科研究所的雏形，旨在全方位、深层次、跨学科地推进癌症基础理论的研究。丛文铭提及，从 20 世纪 70 年代末，吴孟超就已开始布局肝癌基础研究的人才战略了。

2013 年 6 月 26 日，《英国医学杂志》（在线）刊载“中国肝胆外科之父”吴孟超院士专访，引发全球医学生和医学工作者热烈讨论。一周后，此文获得该杂志 2013 年上半年年度最佳人物报道奖。吴老的学生，无一不深刻烙印着“吴门弟子”的标记。刻苦、勤劳、创新、求是”是他们共同的特征。这正是对吴孟超卓越育人成就的有力证明。

2008 年，吴孟超荣膺“上海市教育功臣”，可谓实至名归。凭着吴孟超杰出的人格感召力，我国众多肝胆外科的优秀人才纷纷汇聚于他的身旁，协力共谱肝胆事业的辉煌篇章。他培养的人才如星辰般遍布国内城乡各地，也在国外肝胆领域熠熠闪光。

“哑铃模式”好

郭亚军教授是吴孟超招收的第一批硕博连读研究生，曾任职中国人民解放军总医院肿瘤中心主任、第二军医大学肿瘤研究所所长。

1989 年，吴孟超送博士后郭亚军赴美国哈佛大学医学院进行合作研究。郭亚军历任美国哈佛大学医学院、加利福尼亚大学圣地亚哥分校医学院、凯斯·西储大学医学院助理教授、副教授、教授。在规划郭亚军跨越地域的科研路径时，吴孟超独具匠心，提出了“立足国内、放眼世界，充分发挥海外学子优势，开展长期稳定的国际科技合作”的科学研究与人才培养的新模式——哑铃模式。

吴孟超给郭亚军指定的科研方向很清晰——运用国外尖端研究技术攻克国内迫切需求的科研项目，核心聚焦于“肝癌免疫治疗”的探索。凭借长期追踪国际医学前沿发展的视野以及自身三十余年科研积淀的敏锐洞察力，吴孟超对“肝癌免疫治疗”的发展前景，洞若观火。为强化团队实力、弥补短板，他巧妙借助外力，这一步高招显得尤为重要。事后人们才明白：在抗击肝癌战略棋局中，郭亚军实则是吴孟超布局于美国免疫学领域的一枚制胜棋子。

郭亚军早已构筑了坚实的学科根基，并在哈佛大学医学院跟随专攻肠癌、肺癌的科主任深研免疫治疗，两年内已有不少收获。但作为一名军人，他面临着 1991 年留学期满必须回国的硬性规定，这使他陷入了两难境地，该怎么处理这棘手的矛盾？

吴孟超前思后想，权衡再三，决定给予郭亚军两次延期，每年一次，其宗旨始终如一：“借美国的研究平台，为中国真正做出些实质性的贡献。”

吴老展现出的非凡胆识与决断，的确让人惊叹，这完全是因为求才心切啊！……对于如何培养稀缺人才，吴老有着深刻的洞察，他确实摸准了历史发展的脉搏。

1993 年 5 月 3 日，东方肝胆外科医院和东方肝胆外科研究所大楼正式落成。吴孟超开创性地建成了一个临床与科研相结合、医教研为一体的崭新模式。旨在治疗过程中发现问题，依托基础研究寻找解答，并期望在国际上能够占有一席之地。

吴孟超还有一个想法，如果能在肝胆外科“院中院”建一个同类的研究中心，专注于肿瘤免疫治疗研究，并维持郭亚军在美国的科研基地，让他来往于两地间，紧跟国际科研的前沿，既能培养人才，又能构建一种持久稳定的国际科技研究机制。一定能促进成果与人才的双重产出。

吴孟超要“借船过河，引水养鱼”。他审慎地分析了中美双方的优势所在，自己领衔的科研团队，经几十年努力，已把肝胆外科发展成为国家的重点学科，每年收治并成功施行肝癌手术的病例数以千计，所提出的临床课题均属这一领域的前沿重大课题，这是其他国家医疗和科研机构难以企及的。美国拥有先进的技术装备，有实力的科研团队，还有雄厚的科研基金。若中美能构建平等的合作关系，实现优势互补，肯定会产生“双剑合璧，力胜一筹”的效果，这些科研成果必将造福全人类。

这个模式有点像健身器械“哑铃”，手柄的两端是有一定重量的哑铃片。郭亚军的作用是负责把两端的哑铃片连接起来。以这样的模式开展国际科技合作与人才培养，像一只两端负重的“哑铃”，可以形象地称作“哑铃模式”。

吴孟超作为战略科学大家，才有如此形象的思维，有这样的魄力，能提出创新理念，提出这种科研与育人模式。

吴孟超向第二军医大学党委详细阐述了自己的构想，不仅得到了学校领导的赞同，还得到了总后勤部、国家自然科学基金委、上海市科学技术委员会的鼎力支持。

由吴孟超主导的“肿瘤免疫和基因治疗中心”，经过 5 个多月的紧张筹备，在东方肝胆外科医院和东方肝胆外科研究所大楼里宣告成立。在推行“哑铃模式”的初步阶段，经吴孟超推荐，第二军医大学委任郭亚军为东方肝胆外科研究所副所长，携手母校共同着手建立“肝癌免疫分子生物治疗研究中心”。双方商定，中心建成后，郭亚军将每年回国履职四到五个月。

“哑铃模式”的优势在于两端平等，可做到取长补短，对等交流；“哑铃模式”的优势还在于采用了国际通用的科研管理机制；“哑铃模式”的另一个优势，就是正确处理了留学人员“回国服务”与在国外“为国服务”的关系。

吴孟超提出的“哑铃模式”，不仅开创了中外科技合作的新格局与新渠道，还在科研协作与人才培养两大领域展现出蓬勃的生命力。随后，国家自然科学基金委、国家科技部、教育部、卫生部、解放军总后勤部卫生部、上海市政府及科委等部门均给予了该模式全力支持，并从中获益，共享了这一模式所带来的科研平台升级与人才培养的硕果。

实践证明，吴孟超提出的勇于打破界限、促进国际科研合作与人才培养的“哑铃模式”理念极具前瞻性，且操作性强。王红阳的科研历程，正是对吴孟超“哑铃模式”理念的生动诠释。

参加中德医学协会成立大会时的全体代表合影（1984 年 11 月 20 日，武汉，前排左三吴孟超，左四裘法祖，东方肝胆外科医院提供）

1987年，作为中德医学协会上海分会会长和第二军医大学副校长的吴孟超，承办了一次中德医学会议。长征医院消化内科的医生王红阳，是大会秘书组成员。工作认真细致的姑娘，被吴孟超与中德医学协会会长裘法祖教授联名推荐，1989年去德国攻读博士学位。

王红阳在德国科学院有科研经费，德方愿意与中方合作，同意王红阳把经费带回中国，条件是中方需提供相应的配套资金。这正是吴孟超所倡导的“哑铃模式”的具体体现。

1997年，王红阳谢绝了德国导师的挽留，带着赠送的一集装箱科研仪器和30万马克科研基金回到上海，加入了吴孟超创建的东方肝胆外科研究所。

吴孟超搭建了一座大大的舞台，让王红阳来施展才华。未几，王红阳领衔的中德合作生物信号转导研究中心在东方肝胆外科研究所成立。2001年，东方肝胆外科医院特别针对王红阳的研究团队，设立了临床综合治疗病区，此举推动了生物信号转导研究进入基础研究和临床治疗相结合的良性循环，取得了丰硕的研究成果。吴孟超邀请的不只是王红阳，她的导师——信号转导研究领域的奠基人、德国马克斯普朗克生物化学研究所所长乌尔里希教授，被聘为第二军医大学客座教授，定期来华授课。

师徒三人（左起吴孟超、裘法祖、王红阳）均为院士（东方肝胆外科医院提供）

研究型医院

时间的脚步迈入 20 世纪 80 年代，作为一位具有前瞻眼光的战略型医学科学大家，吴孟超深切地意识到，要想在本质上提升肝癌的防治水平，离不开基础研究领域持续不断的突破性发现。

80 年代末，当吴孟超着手规划创建独立的专科医院时，便明确了医院定位，一家集基础理论研究与肝胆专科临床治疗于一体的研究型医院。这正是他后来倾力建成的东方肝胆外科医院与东方肝胆外科研究所的“院所合一”模式的雏形。事实上，第二军医大学吴孟超肝胆外科团队在新平台构建与管理上最大的亮点，便是自始至终坚持走“院所合一”之路。

20 世纪 60 年代初，吴孟超主导的“三人小组”科研团队，为了在荆棘丛生的肝胆荒原中摸索出一条路径，面临着极大的软硬件困难。他们就是以最基础的肝脏铸型标本制作、肝脏解剖结构的分析作为突破口的，这是探索并构建学科认知与理论的有效途径，也是唯一正道。

吴孟超深切感悟到科研与临床间的关系之密切，相辅相成，互相影响。这一体悟铸就了他稳固的学科信念以及成熟的体系观念——临床实践必须融合基础科研，推行“院所合一”之路。基于这样的理解与践行，他验证了“院所合一”模式的正确性，果然可以使肝胆学科持续快速发展。这样的良性循环，进一步巩固了他对“院所合一”办院理念的坚信。

数十年秉持“院所合一”理念，吴孟超所带领的肝胆学科团队能清晰笃定地描述三个关键词：身份、来处、目标。

“东方肝胆人”明确地知道：他们是“要把病人一个一个都背过河去”救死扶伤的人民军医，正行进在“征服肝癌”的崎岖征途中，目标是“攻克肝癌”！

团队每位成员都清楚：他们不仅是医生，也是肝胆领域的探索者、研究者。在临床实践与科学研究中，他们必须秉持“临床和基础并重、治疗和预防并行”的学术理念，全面贯通并构建预防、诊断、治疗的完整链条，力求在肝炎到肝癌的预防、诊断、治疗研究上取得更多突破。

吴孟超院士不断重申，肝癌的基础研究与临床治疗同样重要，只有紧密结合，才有望解决这个难题。

正是得益于“院所合一”模式的确立，东方肝胆外科医院从领导到同志都能齐心协力，致力于临床实践与基础研究的并行发展，力求做到两者的深度融合，推动肝胆外科事业的进步。

近年来，吴孟超团队把肝癌的早期诊断、治疗和预防提升至与手术治疗同样重要的层面，取得了显著成效。工作重点涵盖了实施肝癌的广泛普查和筛查；探索炎症至癌症的转变机理；寻找肝癌早期诊断的生物标志物；构建肝癌复发的预防与治疗体系。

东方肝胆外科医院是一家专注于临床的专科医院，却独具特色地设立了拥有独立编制的肝胆外科研究所。这体现了吴孟超深邃的战略眼光和前瞻性的治院智慧。

2012 年 2 月 13 日，东方肝胆外科医院，被中国人民解放军总后勤部确定为五所研究型医院试点单位之一。吴孟超团队数十年如一日践行的“院所合一”模式在全军得到了认可与推广。

这一系列基础理论与临床实践相结合的规划与实施，让我们看到了作为一名战略型医学家的宏伟气魄。他脚踏实地，身体力行地诠释了“肝癌问题的解决离不开基础研究”的理念，在探索“攻克癌症”的漫漫征途中，他一直坚毅地稳步前行。

第六篇

医本仁术，感动中国

有人说，肝脏方寸之间，他仿佛是一匹老马，驮着一个个病人过河。从医七十五年的生活当中，大概有一万六千名病人因为他而摆脱了生命的绝境。

他说："是我的名声要紧，还是救病人的命要紧？""我的名誉算什么？我不过是一个吴孟超嘛！"

第一章 手术台是没有硝烟的战场

设立“吴孟超肝胆外科医学基金”

1996 年，吴孟超荣获“模范医学专家”殊荣，在庆典仪式上，他承诺继续“攀登医学科学”新高峰，并发表了要“攻克癌症”的宣言书。随着职责的重担压肩，他愈发感到时间的宝贵与紧迫。为此，加快培养高品质人才成了当务之急，必须努力构筑多种平台，把青年人才推上去。

1995 年起，吴孟超筹划成立科技表彰基金，旨在推动学科的长足发展，鼓励和表彰年轻的科研人员多出成果。为此，他拿出了自己积攒的 30 多万元，再加上团体和个人的捐赠，以及多年来社会各界表彰奖励的 400 多万元，共近 500 万元。平时朴素节俭的吴孟超，这次出手是多么“阔绰”。

同年，中国人民解放军总后勤部正式发文批准，设立“吴孟超肝胆外科医学基金”，批文上明确规定：用于奖励对肝胆外科作出杰出贡献的优秀人才，每两年评选一次。这是我国肝胆外科领域的第一个专项基金。

2004 年 6 月 1 日，经上海市人民政府批准，将“吴孟超肝胆外科医学基金”更名为“上海吴孟超医学科技基金”。此时，基金总额已达到 1 000 万元。上海吴孟超医学科技基金会是具有独立社会团体法人资格的非营利性社会公益组织，宗旨是：弘扬吴孟超院士“勇闯禁区，勇于创新，永不满足，永远争先”的精神，推动中国医学科技事业不断进步。基金会颁发的奖项分为吴孟超医学科技奖和吴孟超医学青年基金奖，都是奖励在医学领域有重大发明、创造、发现，为医学事业发展作出重大贡献的医学工作者，尤其是年轻优秀的医学工作者。

1999年，为庆祝中华人民共和国成立50周年，《人民日报》编制了典藏版巨型画册《见证辉煌》。其中，在介绍医疗卫生战线的伟大成就时写道：“中国医疗卫生事业50年成就斐然，举世公认。公费医疗制度逐渐被社会医疗保险取代，红十字会的旗帜从大中城市飘向城镇乡村，覆盖全国的30多万个各类医院诊所，近500万医务人员给亿万中国人带来了福音。上海东方肝胆外科医院是目前世界上唯一的肝胆外科专科医院，在院长吴孟超教授的带领下，肝癌切除手术成功率居世界领先地位。”

作为中华人民共和国成立50周年医疗卫生战线辉煌成就的重要标志，吴孟超及其领导的东方肝胆外科医院，被载入了中华人民共和国的史册，是唯一入选的个人和单位，真是一枝独秀。这是吴孟超个人的荣耀，是上海东方肝胆外科医院的荣耀，也是整个医疗卫生界的荣耀！

学科领跑者

1963年，吴孟超主刀的中肝叶切除术令世界外科学界震惊。后来，随着“吴氏刀法”愈加熟练，吴孟超又切下了18千克的超大肝海绵状血管瘤，并为仅6个月大的婴儿切下肝母细胞瘤……吴孟超满怀热情地培养并举荐了一大批肝胆领域的研究型专家，还主持了肝胆外科的基础理论研究，并组织实施了肝癌介入疗法、微创治疗、生物治疗、免疫治疗、病毒治疗，都取得了重要突破。

1964年，越南民主共和国邀请吴孟超作为肝外科专家访问。吴孟超不由记起了24年前在西贡“摁手印”之辱，这次作为中国肝胆外科代表团的团长来到越南，有种一雪前耻的痛快，更为自己是中国人而自豪。面对欢迎仪式，吴孟超心里想：只有国家强大，人民才能受到尊重；只有学科上的领跑者，才能受到业界的尊重。

1989年，时任苏联拉达汽车公司医疗联合体主任的列斯金大夫再次表达想来上海长海医院考察的强烈愿望。这几乎成了他20多年间执着的梦想。20多年前，他通过一本期刊知道了吴孟超的事迹，一直想来中国认识吴孟超，来看看吴孟超手术。第二年早春，通过苏联驻华使馆武官的帮助，列斯金大夫来到长海医院，见到了吴孟超，好梦成真。

1990年10月20日，一辆中巴车驶入长海医院，走下来八位外科医生，他们分别来自德国、日本、荷兰、瑞典、澳大利亚等七国。作为民间医学代表团，团长是国际消化系统疾病协会的主席。他们突然造访，目的是要让长海医院肝胆外科的同行们在无任何准备的情况下接受国际同行的专访，借此探查吴孟超及其声名赫赫的团队。百闻不如一见，医学代表团的七国成员都夸吴孟超的团队一流！

1993年10月6日，吴孟超应邀偕夫人前往美国芝加哥鲁斯医学中心讲学，并接受了芝加哥拉什医疗中心外科颁发的“杰克·佛莱瑟·史密斯访问教授奖”，这个奖项学术含量高，两年前颁给了世界上成功实施首例肝移植手术的斯塔基尔（Starzl）教授。

之后，吴孟超先后担任国际外科学会会员、国际肝胆胰学会会员、中德医学协会副理事长兼上海分会理事长、中日消化道外科学会中方主席等职务，为推动国际肝胆外科领域的学术交流作出巨大贡献。取得这些学术职务，反映了吴孟超在肝胆外科临床实践以及基础研究方面，已赢得国际学术界广泛认可，处于该领域的前沿地位，国际影响积极而深远。2000年10月26日，诺贝尔物理学奖获得者、著名物理学家杨振宁教授到东方肝胆外科医院参观与考察。他被吴孟超多年来的卓越成就深深打动，在展览室留言：“吴大夫对国家的贡献是真正的了不起。”

荣获国家最高科学技术奖

2006 年 1 月 9 日，全国科学技术大会在中国人民大会堂隆重举行。大会以强化自主创新能力、建设创新型国家为核心，成为我国科技发展史上的一座里程碑。

会上，吴孟超被授予了 2005 年度国家最高科学技术奖殊荣。这是自 2000 年奖项设立以来，国家最高科学技术奖第一次颁发给医学科学家。

上午 9 时，人民大会堂内灯火辉煌，来自全国各地的 3 000 余名科技工作者和各界代表齐聚一堂，气氛庄严热烈。中共中央总书记、国家主席、中央军委主席胡锦涛同志，以及党和国家其他领导人出席了此次盛会。

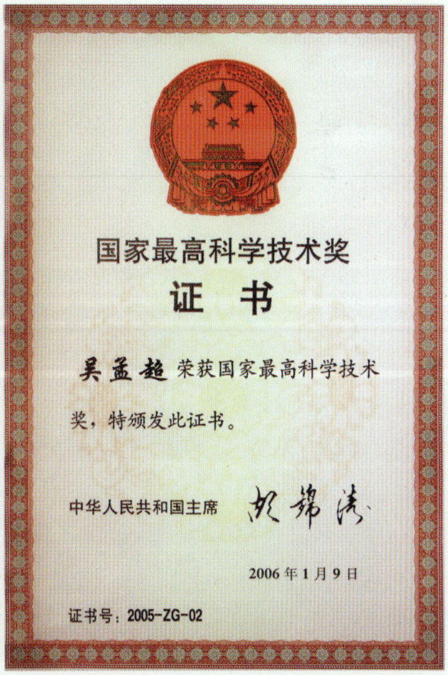
国家最高科学技术奖

证　书

吴孟超 荣获国家最高科学技术奖，特颁发此证书。

中华人民共和国主席　胡锦涛

2006 年 1 月 9 日

证书号：2005-ZG-02

2005 年度国家最高科技奖获得者——吴孟超（左）和获奖证书（右）（东方肝胆外科医院提供）

乐曲响起，振奋人心。胡锦涛主席分别向气象学家叶笃正院士和医学家吴孟超院士颁发奖励证书和 500 万元奖金，并与两位德高望重、成就卓著的科学家握手致意。他对吴孟超说："祝贺你获得大奖！"吴孟超立刻激动回应："感谢主席，我还要继续努力！"

在宏伟壮观的人民大会堂，吴孟超又一次身姿笔挺地站在领奖台上。这个奖项，对医学科学家吴孟超来说，最重！

置身于人民大会堂，吴孟超心潮起伏：1964 年，参加 15 周年国庆庆典，登上天安门城楼，毛泽东主席与周恩来总理亲切接见了他；1978 年，在全国科学大会上，邓小平副主席接见了他；1996 年，在全国科学技术大会上，江泽民总书记接见了他；此刻，又有幸从胡锦涛主席手里接过了国家最高科学技术奖……从 1956 年结缘肝胆医学，到 2006 年，已经是 50 年过去了。自己作为一名长期致力于医学科学的工作者，深切地感受到党和国家最高领导人对科学技术发展的重视和期盼，对广大知识分子的关注和关心。他心底默念着的，仍然是要继续"勇闯禁区，勇于创新，永不满足，永远争先"。

裘法祖院士也来向吴孟超祝贺（2006，北京人民大会堂，东方肝胆外科医院提供）

美国肝胆外科医生、器官移植专家詹姆斯·威廉姆斯（James Williams）教授为吴孟超获奖撰写的推荐信，出现在中央电视台播放的获奖专题报道片的背景中。从信中不难看出，国际学术界对吴孟超在肝胆学科领域的一系列理论与临床的科研和实践给予了充分肯定。

12 日晚上，吴孟超回到上海。他顾不上奔波的劳累，次日一早，又出现在医院的工作岗位上。他先赶到病房看望赴京前主刀手术的病人，才回到办公室，处理其他事务。

17 日上午 8 点多，吴孟超来到机场，迎候已 92 岁高龄的恩师裘法祖院士。裘老来上海参加中国人民解放军总后勤部为吴孟超院士召开的庆祝大会。下午，在上海第二军医大学礼堂，举行了吴孟超荣获“国家最高科学技术奖”的庆祝大会。

中国人民解放军总后勤部在第二军医大学召开“庆祝吴孟超同志荣获‘国家最高科学技术奖’大会”（2006 年 1 月 17 日下午，东方肝胆外科医院提供）

成绩代表过去，也意味着下一段努力的开始。

对于肝胆外科事业未来的发展方向，吴孟超的思路一直很清晰。他要更加努力地开展肝病预防、治疗和研究工作。对此，他充满信心。他们采取的措施会更加得力，步骤和方法也必然会得到更快落实。

梦寐以求的第四次腾飞

吴孟超 84 岁了，他又选择站到了一个新的起点：进一步探索适合中国人群的肝癌预防体系，力争使肝癌的发病率在已有数据上下降 15%。达到这个目标并非易事。

吴孟超是一位战略型科学家，一直有前瞻的视野，这让他能够很快很清晰地意识到，要想迎战癌魔，必须整合优质资源，形成合力。他想着，要着手将研究重心由治疗转向预防，力求迅速找到肝癌成因，并努力在极早期阶段捕捉到肿瘤的蛛丝马迹，将其扼杀于摇篮之中。同时推动化学治疗（主要是各类抗肿瘤的中、西药物）、放射治疗和生物免疫治疗的进步及其相互配合，还要提升手术切除的安全性和成功率，对暂时无法手术或术后存在残余癌细胞的病例实施更精确有效的治疗，帮助患者术后更好更快康复，提升生活质量……综上，在肝癌治疗的每一个节点，都要探索出符合国情的新思路、新疗法，充分利用上海在肝癌研究领域的理论积淀、人才储备和技术专长，采取跨体系（融合军队和地方）、跨学科的综合性研究模式。

2006 年初，早在获国家最高科学技术奖前，吴孟超已联合汤钊猷、杨胜利、顾健人、闻玉梅、郑树森、王红阳六位院士，向国务院呈交了一份关于“集成式开展肝癌研究”的报告，被医学界称作“七君子上书”。这份报告汇聚了七位肝胆医学权威的智慧结晶，果然引起了国家领导人的高度重视。国家卫生部、科技部将报告列入了“十一五”国家传染病重大项目。

9 月 28 日，在上海肿瘤研究所，吴孟超与汤钊猷、顾健人、王红阳、闻玉梅、郑树森等，向卫生部陈司长提出建立国家肝癌科研中心的想法。

在吴孟超和王红阳院士的带领下，东方肝胆外科医院提出申请，组建国家肝癌科学中心。多轮咨询与答辩后，2009 年 8 月，国家肝癌科学中心的立项申请被国家发展和改革委员会批准。

2010 年 12 月，国家发展和改革委员会正式批复国家肝癌科学中心项目的可行性研究报告。

吴孟超构想中的国家肝癌科学中心，核心涵盖六大平台，包括：诊断标志物筛选与分子分型研究室，病原、宿主互作解析实验室，分子网络调控研究室，药靶发现与研发实验室，细胞治疗研究室，循证医学研究室。此外，还包括三个公用辅助研发平台：资源保藏和数据链应用中心、动物中心、中试平台。这些平台既可以各自独立运作，又相互协同、互为补充，构成一个不可分割的综合性研究体系。

专家们对吴孟超的构想深表赞同并充满信心，坚信国家肝癌科学中心的建立必将促进我国肝癌研究的协同突破，攻克肝癌防治的核心问题。此外，该中心还将起到引领、辐射和示范作用，为保持攻克肝癌的原始创新能力提供智力储备。这是吴孟超毕生都期望搭建的科研大平台。

2011 年国家发展和改革委员会拨款，用来作为建设资金。上海市政府也给予配合。10 月 12 日，总投资为 4 亿元的项目正式启动，整个项目的规划与实施预计耗时 3 年。

国家肝癌科学中心的择址在上海市嘉定区安亭镇，紧邻东方肝胆外科医院正在建设的新院区。这样选址的原因，是研究中心不能脱离临床，国家肝癌科学中心选址必须考虑到与唯一的肝胆专科医院紧密结合。目的是保证基础研究与临床实践的结合，要从临床中发现科学问题，以便通过基础研究找到解决问题的策略，再把基础与理论研究的成果转化到临床应用上。这构成了一个闭环，也是一条完整的“从研究中来，到应用中去”的质疑与创新链，最终目标旨在攻克中国的肝癌问题，减少发病，降低死亡率。

在开工仪式上，九旬老人吴孟超笑容满面，高兴地铲土奠基。国家肝癌科学中心的创建，标志着他人生事业上的第四次腾飞要实现了！

第二章 期望攻克癌症的斗士

国家肝癌科学中心

国家肝癌科学中心占地面积约 30 448.7 平方米，总建筑面积 26 000 平方米。其主要建筑涵盖科研楼、学术交流中心、动物房和行政楼。于 2017 年初竣工，并投入试运行。该中心的首任主任是吴孟超的杰出弟子王红阳院士。

国家肝癌科学中心作为国家级肝癌科研的公共技术平台、国际交流的枢纽及人才培育的重镇，其建设对于我国整合优势科研资源、推动肝癌研究实现飞跃性进步，加强自主创新能力，确立国际肝癌研究领先地位，构建产业化基础，以及提升肝癌医药产业的国际竞争力，都具有不可估量的巨大作用。

国家肝癌科学中心与毗邻的第二军医大学东方肝胆外科医院安亭新院都致力于攻克肝癌，使肝胆肿瘤的极早期发现与精准治疗相辅相成，彼此促进。

医德与情怀

2011 年，与吴孟超有关的大事要事真不少。

2 月 14 日，胡锦涛总书记在《国内动态清样》的《院士吴孟超用忠诚书写爱党爱国爱民情怀》一文中作了重要批示：要大力宣传吴孟超院士的先进事迹和高尚医德，宣传他的爱党爱国爱民情怀。要把宣传优秀共产党员的先进事迹作为纪念中国共产党成立 90 周年庆祝活动的重要组成部分。

收到指示，第二军医大学迅速组建成立了吴孟超同志先进事迹报告团，于 5 月 10—20 日，分别在北京、兰州、重庆、广州、上海等地展开巡回演讲。6 月 7 日，吴孟超回到母校同济大学医学院进行宣讲；6 月 15 日在中国科学院研究生院、6 月 19 日在他的原籍——福建省福州市，继续进行宣讲活动。

5 月 10 日，在人民大会堂举行了“吴孟超同志先进事迹”首场报告会，这是由中宣部、卫生部、总政治部、总后勤部、中共上海市委联合举办的。

第二军医大学校长刘振全少将在报告中提及：吴孟超一生以自己是一位医生、一名共产党员而骄傲，他忠诚于自己的信仰，更是用实际行动捍卫这个信仰。

每次遇到有重大灾难发生时，吴孟超都毅然投身于医疗救援中。1988 年上海甲肝疫情肆虐，他焦急万分，没日没夜地奋战在临床，组织开展流行病学调查。抗击“非典”期间，他在发热门诊坐镇，收治病患。汶川特大地震发生那年，吴孟超已经 87 岁高龄，仍主动请缨带队前往灾区。组织上考虑吴老年事已高，没有批准。他就通过网络视频提供远程会诊支持。同时，他以上海吴孟超医学科技基金会的名义，向灾区捐献了价值 500 万元的急救药品。在吴孟超的心中，那份对党、对国家、对人民的深情厚谊始终炽热如初，历久弥新。

吴孟超是一位勇攀科学高峰、功绩显赫的医学巨擘。他构建了我国肝脏外科的核心理论体系；引领了我国肝癌基础理论研究的革新发展。在医学理论上作出的杰出贡献，关键技术层面实现的突破和持续进步，以及在学科建设上取得的辉煌成就，共同铸就了吴孟超“中国肝脏外科之父”的美誉，使他成为了闻名遐迩的国际医学权威。

吴孟超是一位心系民众，医德与医术并重的杰出医者。他不仅医术高超，更具备崇高的医德。吴孟超时刻将患者置于心中，竭尽所能为患者排忧解难，减轻他们的负担。

吴孟超是一位生命不息，就勇往直前的坚毅医者，始终走在奋斗的路上。他说："我是一名医生，更是一名战士，只要我活着一天，就要和肝癌战斗一天。"

第二军医大学东方肝胆外科研究所副所长王红阳院士在报告中说：

吴老在培养人才上，总是看得那么远、那么准。有口皆碑的，是他在关键时候作出的三次重要抉择。

第一次是 20 世纪 60 年代，吴老探索总结的"吴氏刀法"名声大振，他提出办进修班，让其他医生学会这项技术。他自编教材，亲自示范，把他独创的先进技术毫无保留地教给每一位进修学生。

第二次是 1978 年，我国迎来了科学的春天，国家恢复了研究生招考制度。吴老立即提出申报肝胆医学硕士点。他第一批申报硕士点，第一批招收了研究生，此后又第一批申请成立了博士点和博士后流动站。

第三次是 20 世纪 80 年代初，那时肝脏外科手术技术发展很快，吴老备受业内推崇，这时他提出，把人才培养的重点，转移到基础研究上。他主导建立了国内第一个肝癌基础研究实验室，创建了东方肝胆外科研究所，并有计划地派出和引进高级人才。

开明的师长，良好的条件，宽松的学术氛围，孕育了学生的创新精神和创造才华。吴老总是那样与时俱进，他有着敢闯新路培养人才的大家气魄。

吴老的一天

2011 年 8 月 31 日是吴孟超院士 90 华诞。在这意义非凡的日子，东方肝胆外科医院政治部副主任张鹏与福建作家郑亨光先生，早已精心筹备，意图真实记录下吴老这一天的生活轨迹与日常点滴。他俩早早来到了位于长海路 225 号的东方肝胆外科医院，迎候吴老上班，开始这平凡又不平凡的一天。

上午 8 点，吴孟超院长如常来到医院上班。推开办公室的门，芬芳的花香扑鼻而来，这一束束鲜花是乡亲、学生、同事和康复病人送的。

把工作包放在办公室，吴老来到会客室，见到了来祝贺华诞的福建省闽清县委书记陈铁晗和由他带领的乡亲团。陈书记代表闽清 30 万乡亲，把准备好的生日礼物敬赠给吴老。8 点 30 分，吴老与大家握手道别。

8 点 40 分，他回到办公室，从抽屉里拿出手术专用宽边眼镜装进口袋，走向楼梯，快速步入手术室。

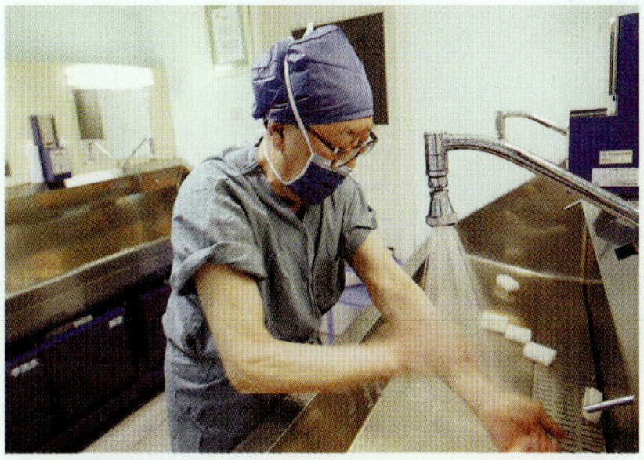

吴老刷手特别地道与细致（东方肝胆外科医院提供）

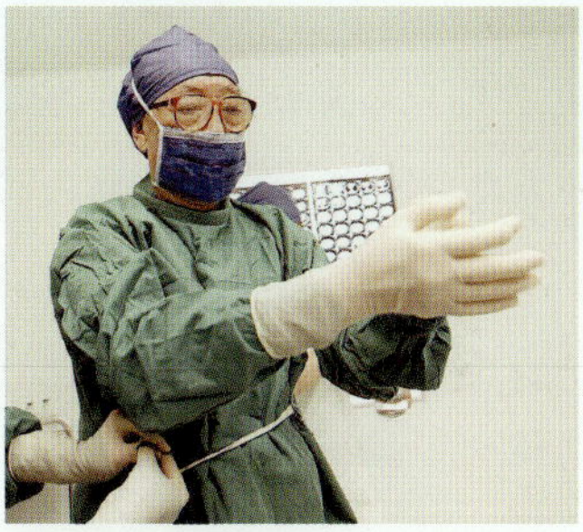

穿袍戴手套一点不马虎（东方肝胆外科医院提供）

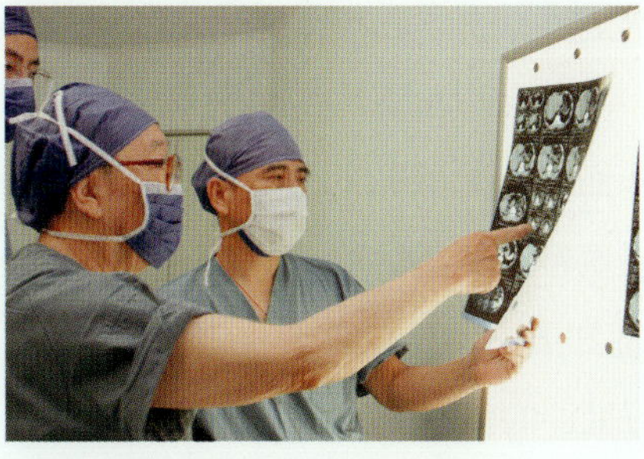

每次手术前，吴老都会再细读片子（东方肝胆外科医院提供）

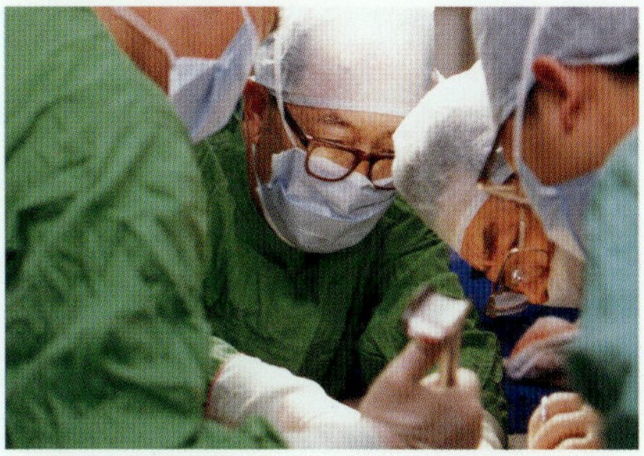

吴老手术“稳、准、快”（东方肝胆外科医院提供）

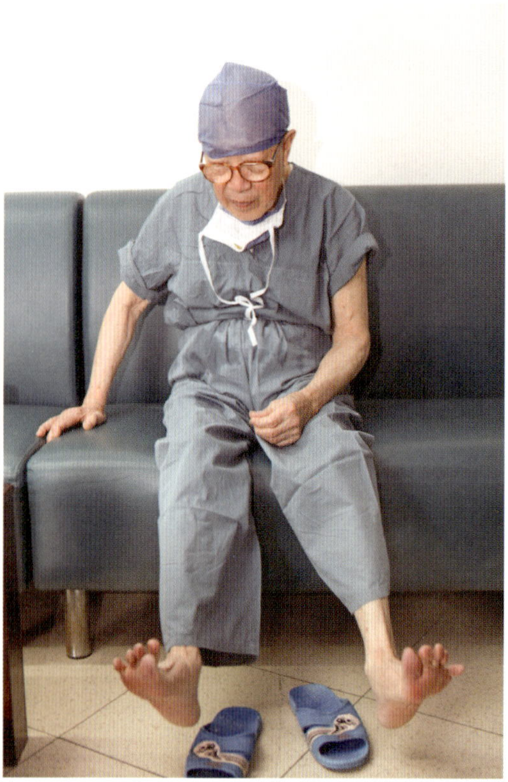

两台手术中间休息时，他顽童似的翘起因长期手术用力而有点变形的脚趾头（东方肝胆外科医院提供）

吴老通常选择在走廊尽头的 6 号手术室进行手术，一路过去，会经过另外的 9 间手术室。吴老往里面走的时候，常常会踮起脚从每间手术室门上的小玻璃窗向里瞄一眼，是不是在检查弟子们的手术情况？还是他的习惯性动作？不得而知。但医生和护士只要透过玻璃看到吴老驻足，就知道他进手术室了。所有人会更加谨慎，因为每个人都知道，对于工作，吴老极端重视。一旦出了不该出的错，吴老是一定会严厉批评的。

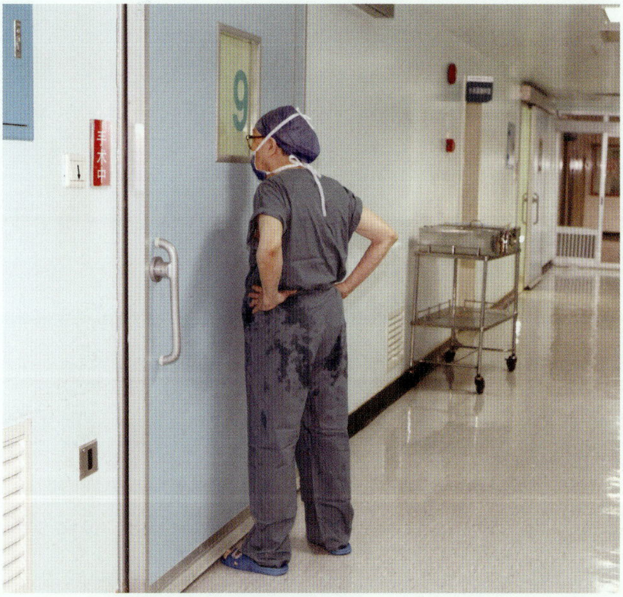

自己手术结束，他像将军一样透过玻璃视察正在手术的弟子们手术的情况（东方肝胆外科医院提供）

吴老 90 岁生日那天，手术室破例把两台手术安排在两间手术室进行。2 号手术室内，病人已经处于麻醉状态。吴老并没有急着洗手消毒换衣服，而是再次细读挂在墙壁灯箱前的片子，接着细阅病历记录，确保一切了然于胸，才去进行手部清洗与消毒。

吴老习惯性地把“洗手”说成“刷手”。类似这样独具特色的词语，吴老张口就来。大家说的“做手术”，在他嘴里更形象，那是“开刀”。

吴老洗手时，非常仔细，就像一位刚刚从医的新手儿。但吴老坚持这样做，已经几十年了。拧开水龙头，淋湿手和手臂，把一小块海绵浸在消毒洗手液内，从双手开始，一直抹到大臂，再用一把小塑料刷子从上到下刷洗，用力刷手指、小臂、大臂……一丝不苟。

洗一遍，冲干净。两遍，再冲干净。洗完第三遍，任由泡沫留在手和胳膊上，吴老用消毒好的小方巾略擦一下，举着两只胳膊，趿着专用拖鞋来到手术台前。

吴老轻轻抖开手术袍，巧妙地往空中一抛，袍子落下，双手前伸，顺势进入袖筒，整个动作轻松自如，一气呵成。几十年过去，这早就成了吴老的特色。九旬老人，动作仍然迅速，挥洒自如。

9 点整。吴老跨上垫凳，手术开始。1 个小时左右，手术结束。脱下手术袍的吴老走出来，冲洗手与手臂，还把湿漉漉的手用力甩一甩。

这时，协理医生跑过来，说第二台手术准备好了。吴老像听到了冲锋号的战士，迈步朝 6 号手术室走去。穿上新的手术袍，戴好手套与口罩，跨上垫凳。整台手术也仅用了 1 个多小时。吴老做手术，是出了名的“稳、准、快”。

来到手术医生休息室，他坐在沙发上，跷起二郎腿，喝起护士准备好的绿茶。喝完茶，中午 12 点到了。

离开手术室，到办公室处理必须当天解决的文件和部分病人来信，把还没来得及处理的，统统塞进工作包，回家吃午饭。

下午，吴老关照女儿，通知跋山涉水远道而来的南洋和福建闽清的亲人，来家里小聚。原本安排吴老休息到 4 点钟去生日庆贺会场。但吴老并没有休息。

2 点 50 分，二十多位南洋来的胞亲和五位闽清老乡，欢聚在吴老家客厅，边喝茶，边与吴老唠家常。

4 点，吴老和家人准时到达第二军医大学的学员活动中心礼堂。他又忙碌起来，与前来贺寿的校领导、各界宾客、病人们握手问候。大家都带来了美好的祝福，吴老总是笑着表达谢意，并与老同事、老院士们交谈，互相勉励对方。

会议、讲话、看节目、交谈、合影留念、吃寿面、观赏礼花，庆祝晚会安排的项目很丰富，一项接一项，到深夜 10 点 35 分结束。吴老回家休息，第二天又要正常上班。

真是忙碌、欢喜、温馨的一天。真是平凡又不平凡的一天。

永不退伍的老兵

步入耄耋之年，吴孟超早已超脱了“名”与“利”的诱惑，作为医学泰斗，他矢志不渝的追求，是不断为人类的肝胆医学作出新的贡献。

已 97 周岁的吴老，确实应该颐养天年，可是，他却珍惜每一分每一秒，仍旧全力以赴地投身于医院的管理工作、临床诊疗、科研指导与研究生培养。

吴老懂得，我们来到这个世界上，不是为了能够得到什么，而是希望我能够做到什么。他一直对自己要求很严格，也一直把“这个世界希望我能够做到什么”记在心里。他的一切行为都符合高尚的境界，自然，温厚。

一年 365 天，吴老没有休息日。周六、周日、法定节假日，他都一如既往去医院。几十年过去了，他的习惯没变。去病房走走看看，借以了解病人身体情况，也可以更好地了解医院的管理状况。

肝胆疾病乃至肝癌，其名令人闻之色变，尤其是黄疸病人，让人恨不得退避三舍。吴孟超却不同，与病人保持亲近，拉手问诊。不是不怕传染，而是为了拉近医患距离，帮他们树立信心。

身为医者，必须怀有不竭的动力，那就是尽心尽力为病人服务。吴老说：要尽一切所能，把“每一位病人都背过河去”。有了这样的决心，有了这样的坚持，把病人的生命看得高于一切。吴老践行着“医学是仁术是人学”！

60 余载光阴过去，吴老每天做手术的右手，食指和中指第一节形成一个小小的“V”形。“V”是一个胜利的手势呀，这是吴老那么多台成功手术的标志。60 余载光阴过去，吴老就这样默默坚守着他的初心，为医学事业夜以继日地操劳，他身上总是焕发着青春的活力，坚信“我并不老”。他笃定，只要自己率先垂范，勇于攀登医学高峰，攻坚克难，一定能汇聚一支卓越的团队。

行动示范远胜空谈教诲。况且，强将手下无弱兵。吴老牵头，东方肝胆外科医院的年轻医生们，个个积极进取，奋勇争先。他们积极努力，在临床实践与科学研究中屡创新绩。

除非必要的出差或会议安排，否则老人家几乎每天都要站在手术台前。他经常是早晨八点半进手术室，完成两三台小手术；如果是大手术，就做一台。从手术室离开，差不多是午后一两点钟了。

只要肝癌的难题没有解决，只要吴老还能坚守在手术台前，他就绝不会退下来。他斩钉截铁地说：我是永不退伍的老兵！

第三章　与疾病共生存

认知癌症

新世纪以来，医学科研迅猛发展。随着分子生物学基础研究不断推进，科学家对人体癌细胞形成过程的理解日益深刻，更加全面。

吴老也时刻关注着国际前沿的分子生物学领域的每一步进展。吴老还敏锐地察觉到：每位患者的癌症都独具特色，很有个性，没有相同的。这源于每位患者的癌症基因各不相同，毕竟，生理上的差异，归根结底是基因的异质性决定的。

“攻克癌症”依然是九旬高龄的吴孟超心心念念牵系的。为此，他以其深邃的洞察力，既着眼于对癌症源头的预防（治未病），又致力于早期小肝癌的发现；既关注提高高难度手术的成功率，也关注病人术后的生活质量提升；既坚持传统的手术根治方法，又拥抱创新理念——消灭与改造相结合的中西药化疗、质子（重离子）的新型放疗纳入考量，尤其是他选准了以肿瘤细胞免疫治疗来对付癌症。

调整“与癌症对弈”的战略

吴孟超一直致力于攻克癌症，却也总难免会生出无能为力的无奈与痛苦，同时促使他对癌症的认知逐步深化。他愈发明确地意识到：外科医生只能切除肿瘤，解决眼前之困。诚然，手术切除确实能在一定程度上延长患者的生命，这是因为新肿瘤的成长需要时间。在与癌症斗争的漫长岁月里，吴孟超不断思索着如何在战略层次调整“与癌症对弈”的策略，这成了让他难以释怀的大问题。

吴孟超的观点是，以手术切除的话，一台手术只能解决一位病人的问题，惠及面太窄。要想“彻底根除”肿瘤，不应该等着患者病发后来找医生，而应致力于预防，让人类远离癌症，不被侵扰。当然，目前来看，还只是梦寐以求中的理想状况，是全人类共同的终极追求，可即便无法企及，退一步来说，我们是不是能够探寻到“超早期”肿瘤，当它们初露端倪时，就给予处置干预或改良？

吴孟超更清楚，这项复杂的系统工程仅凭外科医生难以完成，必须倾注心血于基础与临床理论的深入研究。促使各学科紧密合作，协同作战，从根源上弄明白癌症的成因。知道到底是怎么回事，该如何驯服，改造、战胜它，乃至寻求与之“和平共存”的可能。

随着理解的日益加深，吴老与癌症对弈的战略考量愈发成熟，在“战场”上排兵布阵，作了一系列周密部署。

一、分子诊断助力超早期发现肝癌；

二、三维影像诊断提高高难度手术成功率；

三、质子束放射治疗；

四、肿瘤的细胞免疫疗法。

吴老曾明白透彻地解释免疫疗法就是利用人体自身的天然防御去攻击癌症等疾病。

吴老理解的“精准医疗”，核心就是个性化治疗。没有什么能比自身的免疫系统更具有个性化的了。

“白泽技术”强

2016 年，吴孟超院士汇总了自己数十年来与癌症斗争的科研与临床实践经验，以及被他推动成立的“上海细胞治疗工程技术研究中心”（以下简称“上海细胞治疗研究中心”）学术团队所研发的“白泽技术”系列。鉴于我国历年癌症患者人数持续攀升的严峻形势，他睿智地提出了蕴含东方文化特点的“白泽计划”。这个计划不仅致力于提升并改良传统的手术、化疗、放疗以及新兴的靶向治疗、免疫治疗等手段，还着重于细胞免疫治疗等高科技前沿领域的发展。

吴孟超提出的旨在惠及全人类的“白泽计划”，其核心思想可以凝练成一句话：重新定义生命的长度与丰度。

近期目标——花 10 年时间实现 60% 癌症病人肿瘤消退的疗效，让 60% 的老百姓用得起这项技术。

远期目标——花 30 年时间使人健康快乐活到 120 岁。

“白泽计划”设定了涵盖近期 10 年及远期 30 年的具体量化指标，这既表明了大医吴孟超在学术上的深厚底蕴，也体现了他作为军人的果敢与不屈。

无论由上海细胞治疗研究中心研发的“白泽技术”系列，还是吴老提出的“白泽计划”，都选择以“白泽”命名，皆因“白泽”是中国古代神话中地位崇高的神兽、是祥瑞的象征。

吴老深知，免疫技术的革新与进步，必须借助社会力量与企业联手，否则资金与人才从何而来？面对未来的抉择，睿智的老人陷入了沉思，肿瘤免疫治疗技术的创新与发展至关重要。为了推动肿瘤免疫治疗的大力发展，他清晰地认识到，必须采取市场化模式组建科研团队，摆脱体制束缚，才能向社会融资，从而投身于世界肿瘤治疗革命性进展的浪潮中。

吴老毅然决然地将东方肝胆外科医院免疫科研的钱其军博士团队推向市场洪流，果断实施机制剥离，与东方肝胆外科医院完全脱钩。让他们在市场的惊涛骇浪中自力更生，一切从零开始，无论是人才梯队、资金筹备，还是科研选题。若他们能借此机会在创新征途上昂首阔步大展拳脚，且日后能将研发的肝癌细胞免疫治疗新技术、新方法等系列科研成果惠及病患，这无疑是双赢之举。也将为我国的癌症治疗领域带来崭新风貌。

钱其军团队果然没有辜负吴老的苦心，交出了一份亮眼的成绩单：

2013 年，上海细胞治疗工程技术研究中心落户嘉定，实施将基础研究、技术及产品研发、病人治疗同步推进的策略。“白泽技术”团队走上一条免疫细胞治疗研究和临床试验成果转化的创新之路。

2014 年 8 月，上海细胞治疗研究院获批成立。

2015 年 2 月，上海吴孟超肿瘤医学中心成立；7 月，上海细胞治疗保存库运营，白泽医学检验所获批成立。

2016 年，钱其军学术团队办妥了与东方肝胆外科医院完全剥离的手续。上海细胞治疗工程技术研究中心集团有限公司获批成立；由研究中心自行研发的 T 细胞高效表达抗体关键技术——“一种多功能免疫杀伤转基因细胞、其制备方法及用途”申请专利授权，这是一项“超越免疫检查点抗体”的颠覆性技术。以后又陆陆续续有六项“超越免疫检查点抗体”技术以及“超越 CAR-T”“基因修饰”等颠覆性技术，相继申请专利授权。

2017 年 2 月，上海吴孟超 · 国际诺贝尔奖获得者联合科技创新中心成立，获得了 22 位诺贝尔自然科学奖得主的支持；同年 6 月，科技部公布了国家重点研发计划“精准医学研究”重点专项 2017 年度项目，由钱其军教授牵头申报的“基于修饰型抗体及免疫细胞的精准医学治疗的标准研究”，获国家卫生和计划生育委员会“精准医学研究国家重点项目”正式立项；10 月，上海细胞治疗集团与国家超级计算无锡中心签订合作协议，双方依托各自的技术和资源优势，以基因组测序、生物信息、高性能计算与大数据科学的交叉应用，建立“白泽细胞人”数据平台。

2018 年 2 月，上海细胞治疗研究院在 *Journal of Cancer* 以及 *Cell Death & Disease* 上接连发表了三篇有关临床前研究、CAR-T 治疗肝癌的新进展、癌症疫苗的综述性论文。8 月，上海细胞治疗集团旗下的浙江纳米抗体中心技术有限公司分别针对肿瘤 MSLN 靶点及免疫检查点 PD-1 抗体筛选，目前已通过噬菌体展示技术分别获得近 50 个高亲和力纳米抗体克隆，即将进入 CAR-T 细胞治疗临床前实验。

在医学探索的征途上，“白泽技术”团队精心招募并汇聚了一大批细胞免疫领域的杰出人才，组建起了科研力量雄厚的上海细胞医疗工程技术研究集团有限公司。

“白泽技术”的研发团队秉承吴老的理念，持续推行科研领先、临床跟上的发展路径。即便从零起步，这支满载着“医本仁术”使命的科研团队，仍成功研发出能在体外借助先进仪器和技术，精确鉴别癌细胞和正常细胞差异靶点的创新方法，并将靶点信息传递给 T 细胞，使其精准狙击癌细胞。他们潜心研发的 CAR-T 细胞能自表达 PD-1 抗体，不仅显著提升了治疗效果，更大幅度削减了患者的治疗成本。这一技术革新的步履已赢得业界的广泛瞩目。

“白泽计划”的核心理念在于能够实现让 60% 的肿瘤得以消退，同时保持亲民价格，让广大民众都能负担得起。那么“白泽技术”究竟是如何实现这一目标的？其技术精髓何在？

“白泽技术”的核心策略是：依托免疫细胞天然的特性——它们会自动向肿瘤组织富集，迅速解除免疫抑制状态，并增强肿瘤内部的免疫功能，从而将肿瘤部位转变为“免疫对抗的前沿阵地”。如果能在肿瘤局部精准提升免疫细胞的杀伤力，即可在有效管控癌症的同时，避免对其他部位或器官造成损害，这无疑为免疫治疗构筑了更为有效且安全的价值链。

在“白泽技术”的应用下，由于它不需要依赖大规模工业化生产流程，而是巧妙地借助免疫细胞自身的功能，故而能够使得治疗费用经济实惠。

吴孟超敦促“白泽技术”团队加速研发我国个性化治疗方案，涵盖修饰型抗体等大分子类药物以及免疫细胞疗法，并配套相应的基因表型检测试剂或方法，以期为我国精准肿瘤免疫治疗的规范化进程添砖加瓦。

面对肿瘤免疫治疗日新月异的进步，社会各界广泛关注：肿瘤免疫治疗到底能走多远？

吴孟超答：肿瘤免疫治疗能走多远，由肿瘤免疫的基础研究能做得多好决定。

人类离彻底治愈癌症有多远？

我们离“彻底治愈”癌症的目标还很远。这或者是吴老“学未了，术也未了”的遗憾吧。

2016 年 12 月 17 日，第七届“生命新知・对话大家”医教研高端论坛的主题为“从医学革命展望未来医学与未来医生”。他说：医学革命有迹可循，让我们沿着医学革命的轨迹，畅想未来医学以及未来医生的角色……

吴老虽然年事已高，却怀有一颗赤子之心，他常以充满童趣的哲理启迪病人，并鼓舞同行，既要探寻生命科学的“本源之钥”，又要胸怀广阔，以务实的态度和非凡的努力不懈创新，在医学长河中“把病人一个个都背过河去”。

尾声

忠肝赤胆贯天地

吴孟超说，我这一生走对了三条路，那就是回国、入党、参军。党的恩情哺育了我，祖国事业培养了我，军队熔炉锻造了我，无怨无悔地为党为国为民奉献，是我一生不变的誓言和追求。

从入党那一天起，我就把为党奋斗终身作为毕生最高的荣誉。一心向党、一心为党，矢志不渝报党恩，这是一名战士的庄严承诺。

吴孟超是这样说的，也是这样做的。他从回国那一天起，就把献身祖国医学事业作为毕生不懈的追求。以国家民族利益为重，把个人志向追求融入国家富强、民族振兴之路，这是一名战士的忠诚使命。

20 世纪 50 年代，吴孟超和两名战友创造性地提出了“五叶四段”肝脏解剖理论，并运用这一理论成功实施了世界上第一例“中肝叶肿瘤切除手术”。之后又发明了“常温下间歇肝门阻断切肝法”，使肝脏手术成功率一下子提高到 90% 以上。仅仅用了 5 年时间，我国肝脏外科就迈入了国际领先行列。为了培养更多人才，挽救更多生命，国家恢复研究生招考制度后，吴孟超立刻申请设立了硕士点、博士点，并创建了东方肝胆研究所。他还把个人积蓄和国家最高科学技术奖等多个奖项的奖金都拿出来，设立了“上海吴孟超医学科技基金”。

作为一名大医，他总是能够在关键时刻站出来，为党分忧、为国解难。1988 年上海甲肝大流行，他夜以继日地奋战在临床一线；抗击“非典”期间，他坐镇发热门诊，收治病人；汶川特大地震发生后，他交纳了 2 万元特殊党费，又以吴孟超基金会的名义捐赠了价值 500 万元的急救药品。

吴孟超院士诞辰 102 周年之际，其生前办公室首次公开

作为我国肝胆医学创始人和学术泰斗，作为一名精诚大医，吴孟超的双手将一个又一个肝癌病人从死亡边缘抢救过来，一个又一个奇迹在吴孟超的手术刀下诞生。

他说过一个关于海滩上救鱼孩子的故事。吴孟超就像那个孩子，为人类战胜肝胆疾病（尤其是肝癌），拼尽了一生精力。在他身上，大医仁爱精神最高达义的注释还是那句——“要把每一位病人都背过河去”。

吴孟超院士生前办公室首次公开，一起来看看都有啥

仁者爱人，医本仁术。吴孟超的忠肝赤胆，天地可鉴！

参考文献

[1] 方鸿辉. 吴孟超 [M]. 上海: 上海教育出版社, 2019.

[2] 吴在德. 纪念人民医学家裘法祖诞辰 100 周年 [M]. 北京: 人民卫生出版社, 2014.

[3] 裘法祖. 写我自己 [M]. 北京: 人民卫生出版社, 2009.